Tendances
méthode de français
A2

Cahier d'activités

Jacky Girardet - Jacques Pécheur

CLE
INTERNATIONAL

Direction éditoriale : Béatrice Rego
Marketing : Thierry Lucas
Édition : Charline Heid-Hollaender
Couverture : Miz'enpage ; Dagmar Stahringer
Conception maquette : Miz'enpage
Mise en page : Isabelle Vacher
Illustrations : Conrado Giusti
Enregistrements : Vincent Bund
Vidéos : BAZ

N° de projet : 10261742 - Dépôt légal : juillet 2016
Achevé d'imprimer en Italie par Grafica Veneta - Trebaseleghe en janvier 2020

Sommaire

Vocabulaire

1. Apprenez le vocabulaire.

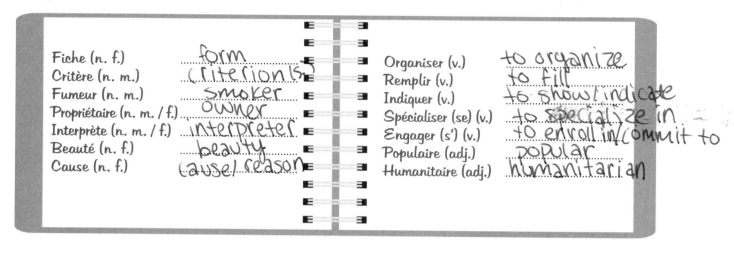

Fiche (n. f.) _form_
Critère (n. m.) _criterions_
Fumeur (n. m.) _smoker_
Propriétaire (n. m. / f.) _owner_
Interprète (n. m. / f.) _interpreter_
Beauté (n. f.) _beauty_
Cause (n. f.) _cause / reason_

Organiser (v.) _to organize_
Remplir (v.) _to fill_
Indiquer (v.) _to show / indicate_
Spécialiser (se) (v.) _to specialize in_
Engager (s') (v.) _to enroll in / commit to_
Populaire (adj.) _popular_
Humanitaire (adj.) _humanitarian_

2. Vérifiez la compréhension du document (Livre de l'élève, p. 12). Retrouvez les informations.

a. Cet article parle de quoi ?
« Speed dating » pour trouver un colocataire.

b. Pour qui ?
Des étudiants.

c. Où ?
au CROUS de Paris, 33 avenue Georges-Bernanos (Ve), M° Port-Royal

d. Quand ?
de 10h à 17h, 27 juin 2014

e. Pour quoi ?
Pour trouver un colocataire

3. Complétez avec un verbe de la liste.

rencontrer ; s'intéresser ; organiser ; participer ; indiquer ; trouver

a. Je suis content de participier à cet évènement.

b. Il faut organiser une réunion de préparation.

c. Trouver une date pour la réunion de préparation.

d. Indiquer le lieu dans le courriel d'invitation.

e. Une occasion pour rencontrer les partenaires du projet
et de s'intéresser au problème.

**4. Vérifiez la compréhension de la séquence 21 (Livre de l'élève, p. 13).
Associez l'information et le personnage. Complétez les phrases.**

a. Madame Dumas loue des chambres à des étudiants.

b. Mélanie prépare un doctorat à Berlin.

c. Greg fait des expositions.

d. Ludo est informaticien, il travaille chez Florial.

e. Lina travaille aussi chez Florial.

Grammaire

1. Complétez cet article avec les verbes au présent, à l'imparfait et au passé composé.

Bébé Erasmus

Flavio *(naître)* **est né** il y a 22 ans. C' *(être)* **est** un « bébé Erasmus ». Ses parents, Pierre et Benedetta, *(se rencontrer)* **se sont rencontrés** à Pavie en Italie. Pierre *(faire)* **faisait** un échange en sciences politiques et Benedetta *(étudier)* **a étudié** aussi les sciences politiques. Ils ne *(se quitter)* **se sont** plus **quittés**. Aujourd'hui, Flavio *(commencer)* **commence** un échange Erasmus à Munich, en Allemagne : « J' *(savoir)* **ai** toujours **su** que j' *(aller)* **allais** participer un jour à un échange Erasmus. »

2. Complétez cette biographie de ZAZ en conjuguant les verbes.

ZAZ *(être)* **est** une chanteuse française très populaire en France et à l'étranger. Elle *(naître)* **est née** en 1980. Elle *(faire)* **a fait** ses études au Conservatoire de Tours où elle *(étudier)* **a étudié** le piano, le violon, la guitare et le chant choral.

ZAZ *(connaître)* **a connu** son premier succès en 2008 à l'Alliance française de Vladivostok en Russie. En 2010, son premier album avec la chanson « Je veux » *(rencontrer)* **a rencontré** un immense succès en France et à l'étranger.

Aujourd'hui, on l' *(inviter)* **invite** à chanter dans de nombreux pays. C'est un rêve pour elle qui *(chanter)* **chantait** encore dans les rues de Montmartre en 2008.

3. Complétez le récit de voyage.

Au sommet de la chaîne des Puys en Auvergne

Hier, nous *(faire)* **avons fait** une belle promenade ! Nous *(partir)* **sommes partis** très tôt le matin. Le soleil *(briller)* **brillait** déjà. Nous *(prendre)* **avons pris** un petit train qui nous *(amener)* **avons amené** au pied du sommet du volcan. Là, nous *(marcher)* **avons marché** sur le chemin des pèlerins, le chemin qui *(conduire)* **conduisait** les pèlerins à Saint-Jacques-de-Compostelle en Espagne. Puis, nous *(visiter)* **avons visité** le site des ruines du temple de Mercure. Il *(être)* **était** midi quand nous *(arriver)* **sommes arrivés** au sommet. Quel panorama ! Magnifique !

4. C'est ou Il / Elle est ?

a. – **C'est** ta nouvelle voiture ?

b. – Oui, **elle** très confortable.

c. – On dit qu' **elle** est très performante.

d. – Oui, **c'est** une voiture puissante.

e. – **Elle** consomme beaucoup ?

f. – Non, **c'est** un moteur hybride.

Vocabulaire

1. Apprenez le vocabulaire.

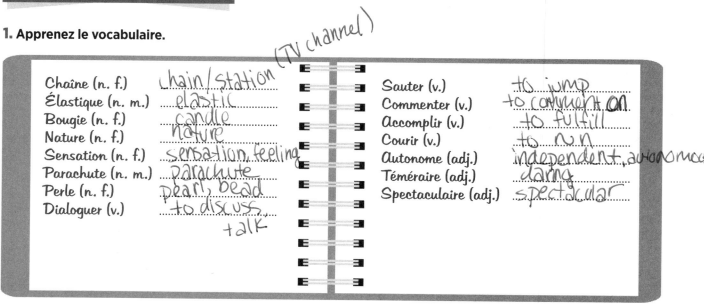

Chaîne (n. f.) _chain/station (TV channel)_
Élastique (n. m.) _elastic_
Bougie (n. f.) _candle_
Nature (n. f.) _nature_
Sensation (n. f.) _sensation, feeling_
Parachute (n. m.) _parachute_
Perle (n. f.) _pearl, bead_
Dialoguer (v.) _to discuss, talk_

Sauter (v.) _to jump_
Commenter (v.) _to comment on_
Accomplir (v.) _to fulfill_
Courir (v.) _to run_
Autonome (adj.) _independent, autonomous_
Téméraire (adj.) _daring_
Spectaculaire (adj.) _spectacular_

2. Vérifiez la compréhension de l'article « Une Bulgare... » (Livre de l'élève, p. 14). Relisez l'article et trouvez les données chiffrées.

a. La vieille dame est âgée. Elle a _80 ans._ .

b. La hauteur du pont est de _190 mètres_ .

c. Ce n'est pas son premier saut. Elle a déjà fait _39 sauts_ .

d. Elle a commencé à sauter en parachute il y a _13 ans_ .

3. Complétez avec *pour* et *parce que*.

Je lis les petites annonces...

a. _pour_ trouver une colocation.

b. _Parce que_ je voudrais partager le loyer.

c. _pour_ ne pas vivre seul à Paris.

d. _pour_ perfectionner mon français.

e. _parce que_ j'ai toujours partagé des appartements.

f. _pour_ me faire plus vite des amis.

4. Trouvez le substantif et complétez l'expression.

a. Lire → **la lecture** de l'article.

b. Commenter → _le commentaire_ du journaliste.

c. Comprendre → _la compréhension_ du point de vue du journaliste.

d. Regarder → _le regard_ sur la réalité.

e. Rechercher → _la recherche_ d'arguments.

f. Dialoguer → _le dialogue_ avec les lecteurs.

5. Voici la définition. Trouvez le mot.

a. On la souffle pour son anniversaire : _la bougie_

b. Sert à sauter de l'avion : _le parachute_

c. Relie deux rives d'une rivière : _le pont_

d. Se dit de quelqu'un qui a 80 ans : _un(e) octogénaire_

e. Qualité de quelqu'un qui est courageux : _téméraire_

Grammaire

1. RÉPONDRE NÉGATIVEMENT. **Posez la question et répondez négativement.**

a. Tu écoutes les gens ?

Non, je n'écoute pas les gens.

b. *(s'intéresser à leurs problèmes)* Tu t'intéresses à leurs problèmes ?

Non, je ne m'intérèse pas à leur problèmes

c. *(admirer certaines personnes)* Tu admires certaines personnes ?

Non, je n'admires pas certaines personnes

d. *(se connecter à des inconnus)* Tu te connectes à des inconnus ?

Non, je ne me connecte pas à des inconnus

e. *(contacter ses anciens copains ou anciennes copines)* Tu contactes tes anciens compains ou anciennes copines ?

Non, je ne contacte pas mes anciens compains ou anciennes copines

f. *(aider ses amis)* Tu aides tes amis ?

Non, je ne aide pas mes amis

2. NÉGATION AVEC *DU, DE LA*. **Répondez négativement.**

Ils parlent de leurs loisirs.

a. Tu fais du sport ?

Non, je ne fais pas de sport.

b. Elle fait du théâtre ?

Non, elle ne fait pas du théâtre.

c. Elle fait de la danse ?

Non, elle ne fait pas de la danse.

d. Il fait du piano ?

Non, il ne fait pas du piano.

e. Tu fais de la musique ?

Non, je ne fais pas de la musique.

f. Elle fait de la photo ?

Non, elle ne fait pas de la photo.

3. Poursuivez la conjugaison au passé composé en complétant le dialogue.

a. *Pas de mémoire !*

– Tu as oublié ton rendez-vous ?

– Oui, j' ai oublié mon rendez-vous.

– Et vous, vous avez oublié votre rendez-vous ?

– Oui, nous avons oublié notre rendez-vous.

– Et elle, elle a oublié son rendez-vous ?

– Oui, elle a oublié son rendez-vous.

– Et eux, ils ont oublié leur rendez-vous ?

– Oui, ils ont oublié leur rendez-vous.

b. *Dans la salle de rédaction d'un journal*

– Tu as écrit ton article ?

– Oui, j' ai écrit mon article.

– Et vous, vous avez écrit votre article ?

– Oui, nous avons écrit notre article.

– Et elle, elle a écrit son article ?

– Oui, elle a écrit son article ?

– Et eux, ils ont écrit leur article ?

Vocabulaire

1. Apprenez le vocabulaire.

Souci (n. m.) — *worry*
Palais (n. m.) — *palace*
Intellectuel (n. m.) — *intellectual*
Philosophie (n. f.) — *philosophy*
Décision (n. f.) — *decision*
Reconnaître (v.) — *to recognize*
Informer (v.) — *to inform of*

Construire (v.) — *to build*
Partager (v.) — *to share/divide*
Exprimer (s') (v.) — *to express oneself*
Second (adj.) — *second*
Efficace (adj.) — *effective/efficacious*
Stimulant (adj.) — *stimulating/motivating/inspiring*
Volontiers (adv.) — *willingly/gladly*

2. Vérifiez la compréhension de la séquence 22 (Livre de l'élève, p. 16). Associez les lieux et les informations sur le séjour de Mélanie.

a. Allemagne : *Mélanie est en Allemagne jusqu'au 31 juillet.*

b. Potsdam : *Elle est à Potsdam.*

c. Sans-Souci : *Elle a visité le palais de Sans-Souci. (elle a envoyé une carte postale du château)*

d. Bavière : *Elle a visité la Bavière la semaine dernière.*

3. Exprimez l'opinion avec *à mon avis, je crois que, je pense que, pour moi*.

À propos d'une sculpture... Qu'est-ce que c'est ?

a. – *Pour moi* c'est un instrument de musique.

b. – Non, moi *je pense que* c'est un coquillage.

c. – *À mon avis* c'est un gramophone.

d. – Moi, *je crois que* c'est une corne d'abondance.

4. EMPLOI DU TEMPS. Complétez avec les expressions de la liste.

le... ; du... au... ; la semaine prochaine ; à la fin du mois

Un rendez-vous difficile

a. – On peut se voir lundi prochain ?
– Non, *la semaine prochaine* je fais du ski avec les enfants. Je rentre le dimanche 14.

b. – Alors la semaine suivante ?
– Ça va être difficile. *Le* 15 février, je suis à Marseille.

c. *Du* 17 *au* 23, je pars à la Réunion.

d. – Alors, après ?
– *À la fin du mois* j'ai un séminaire. On peut se voir le mois prochain.

Grammaire

1. PARLER D'UN MONUMENT, D'UN PERSONNAGE HISTORIQUE, D'UN ÉVÈNEMENT. Passé composé ou imparfait ?
Mettez les verbes entre parenthèses au temps qui convient.

a. La construction du Louvre (*commencer*) _a commencé_ en 1190. C' (*être*) _était_
un château fort carré. Il (*devenir*) _est devenu_ ensuite le château des rois de France jusqu'à
la Révolution.

b. Albert Camus, l'auteur de *L'Étranger*, (*naître*) _est né_ en Algérie en 1913.
L'Algérie (*être*) _était_ une colonie française. Sa mère (*vivre*) _vivait_
pauvrement. Elle ne (*savoir*) _savait_ pas lire et pas écrire. Il (*faire*) _a fait_
des études grâce à son instituteur.

c. Étrange phénomène... Un homme de 40 ans (*se promener*) _se promenait_ le long d'un lac.
Il (*faire*) _faisait_ nuit. Tout à coup, l'homme (*voir*) _a vu_ une
lumière au-dessus de l'eau qui (*éclairer*) _a éclairé_ tout le paysage. La lumière
(*disparaître*) _a disparu_ mystérieusement.

2. Complétez ce récit de voyage. Mettez les verbes entre parenthèses au temps qui convient.

Nous (*choisir*) _avons choisi_ de passer les vacances du jour de l'An dans le midi de la France.
Nous (*partir*) _sommes partis_ en voiture. Il y (*avoir*) _avait_ beaucoup
de monde sur la route. Il (*faire*) _faisait_ beau. Nous (*passer*) _sommes passés_
à côté de la montagne Sainte-Victoire chère au peintre Cézanne puis nous (*traverser*) _avons traversé_
le massif des Maures. Au bord de la mer, le temps (*être*) _était_ très doux et le soleil
(*briller*) _brillait_. Nous (*décider*) _avons décidé_ de faire de grandes
promenades. Nous (*se promener*) _nous sommes promenés_ le long des plages solitaires, sur les chemins
de douaniers qui dominent la mer. Ah ! Le plaisir du Sud en hiver !

3. Utilisez les comparatifs : *plus, aussi, moins, mieux, trop, très, pas assez...*

Comment trouvez-vous...

a. Jean Dujardin ? C'est un acteur _très_ sympathique mais j'aime _mieux_ Marion Cotillard.
Elle joue des rôles _plus_ intéressants.

b. Votre professeure ? Elle est _aussi_ intéressante que son collègue qui est _très_ bien
mais _plus_ efficace.

c. Mon nouveau médecin ? Il explique _mieux_ que l'ancien.

d. Le restaurant du Pont ? Il est _moins_ bon que l'Auberge du Lac et _plus_ cher.

e. Le film ? Je ne l'ai pas aimé. Il est _très_ violent et _trop_ long ; les acteurs
ne sont _pas assez_ bien dirigés ; j'aimais _mieux_ les autres films de ce réalisateur.

Vocabulaire

1. Apprenez le vocabulaire.

Abricot (n. m.) _apricot_
Beurre (n. m.) _butter_
Rôti (n. m.) _roast_

Anis (n. m.) _aniseed_
Calamar (n. m.) _squid_
Riche (adj.) _rich_

2. Dans la liste de vocabulaire, qu'est-ce qui est :

a. de la viande : _le rôti_

b. du poisson : _le calamar_

c. un fruit : _l'abricot_

d. un produit laitier : _le beurre_

e. une plante : _l'anis_

3. Remplacez par un adjectif. Trouvez le synonyme (l'adjectif équivalent) dans la liste.

riche ; populaire ; humanitaire ; stimulant ; téméraire ; autonome

a. une action au service des gens en difficulté → _une action humanitaire_

b. Il mène une vie très indépendante. → _une vie très autonome_

c. C'est un acteur connu et très apprécié du public. → _très populaire_

d. Il a accompli un geste très courageux. → _très téméraire_

e. Elle a fait un repas plein de calories. → _un repas riche_

f. Il a tenu un discours qui donne à réfléchir. → _un discours stimulant_

Oral

 1. Écoutez. Notez sur quelle syllabe porte l'accentuation.

N° 1 *Félicitations*

a. Ah ! Salut ! C'est toi ? Ça va ?

b. Bravo ! Beau succès !

c. Oh ! Ce n'est rien…

d. Tu as beaucoup plu !

e. Tu m'étonnes….

f. Si, si, je t'assure. Alors tu viens demain ?

g. Je ne sais pas encore… Je ne peux pas te dire ça aujourd'hui…

 2. Écoutez. Notez l'accentuation avec les « e » finaux non prononcés.

N° 2 *Narcissique*

Il se croit… unique… aimable… sympathique… simple… dynamique… juste… bref il est incroyable !

 3. Écoutez. Notez les consonnes finales non prononcées et prononcées.

N° 3 *Oppositions*

a. Bas ou haut ?

b. Noir ou gris ?

c. Fort ou sentimental ?

d. Froid ou chaud ?

e. Idéal ou normal ?

f. Premier ou second ?

 4. Écoutez. Notez l'enchaînement consonne-voyelle.

N° 4 *Après le film…*

a. Très intéressant

b. Assez amusant

c. Excellent acteur

d. Mauvais acteur

e. Des idées excellentes

f. Des choix intelligents

 5. Écoutez. Notez l'enchaînement voyelle-voyelle.

N° 5 *Enthousiasme…*

a. Un livre énorme

b. Un exercice unique

c. Un essai impressionnant

d. Une idée incroyable

e. Un exemple idéal

Vocabulaire

1. Apprenez le vocabulaire.

Nouvelle (n. f.) _____ news
Boîte (n. f.) _____ box
Dictionnaire (n. m.) _____ dictionary

Réserver (v.) _____ to book / reserve
Étonner (v.) _____ to surprise
Nécessaire (adj.) _____ necessary

2. Vérifiez la compréhension de la séquence 23 (Livre de l'élève, p. 22). Vrai ou faux ?

	VRAI	FAUX
a. Mélanie est rentrée d'Allemagne.	☒	☐
b. Ludo et Li Na vont habiter à Nanterre.	☐	☒
c. Mélanie organise un repas pour son retour.	☒	☐
d. Mme Dumas prépare un bœuf bourguignon.	☐	☒
e. Greg va faire les courses.	☐	☒

3. Associez la question et le domaine de la question.

a. Tu vas bien ? 6.
b. Tu es toujours aussi jeune ! 5.
c. Vous êtes mariés ? 4.
d. Tu travailles toujours à la banque ? 1.
e. Tu as des nouvelles de David ? 2.
f. Ton studio, c'est toujours le même ? 3.

1. Activité
2. Relations amicales
3. Habitation
4. Situation familiale
5. Physique
6. Santé

4. Dites-le autrement. Faites correspondre.

a. Tu as changé de coiffure ? 5.
b. Tu fais quoi ? 3.
c. Tu habites où ? 1.
d. Et ta copine ? 6.
e. Tu fais toujours du surf ? 4.
f. Quelles nouvelles de Léo ? 2.

1. Tu te plais toujours dans ton studio ?
2. Léo, tu le vois toujours ?
3. Ton travail, ça va ?
4. Tu aimes toujours la glisse sur les plages de l'océan ?
5. Qu'est-ce que tu as fait à tes cheveux ?
6. Avec Julie, vous êtes toujours ensemble ?

5. S'EXPRIMER AVEC LE VERBE *FAIRE*. Complétez.

a. Préparer : **faire des préparatifs**
b. Acheter : faire des achats
c. Échanger : faire un échange
d. Donner : faire un don
e. Réserver : faire une réservation
f. Envoyer : faire un envoi

6. Associez chaque emploi du verbe *faire* avec une phrase de la liste.

a. faire une surprise 5.
b. faire les courses 2.
c. faire beau 1.
d. faire plaisir 6.
e. faire la fête 4.
f. faire la cuisine 3.

1. Il fait soleil.
2. Je vais au supermarché.
3. Il prépare le repas.
4. On s'amuse !
5. Vous êtes étonné.
6. Voici ton dessert préféré !

Grammaire

1. Observez les phrases de ces SMS. Que représentent les mots soulignés ?

a
Salut Clara !
J'ai acheté les places pour David
et Léo : tu leur dis et tu me confirmes ?
Chloé
leur : _David et Léo_
me : _me (Chloé)_

b
Clément, je t'envoie les fichiers...
Tu les regardes ?
Guillaume
t' : _tu (t')_

c
Élodie et Coralie, tu leur donnes
la nouvelle ?
Sarah
leur : _Élodie et Coralie_

d
Super ! Vous venez demain. Ça nous
fait plaisir !
Mehdi et Jasmine
nous : _nous (Mehdi et Jasmine)_

e
Non, je ne veux pas savoir... Surtout
ne me dis rien !
Nicolas
me : _me (Nicolas)_

f
Sois sympa avec Julie, ne lui
demande rien...
Paul
lui : _lui (Julie)_

2. Répondez avec un pronom complément indirect.

a. Tu as parlé à Paul ?
Oui, je _lui_ ai parlé.

b. Elle a demandé à Claire sa réponse ?
Oui, elle _lui_ a demandé.

c. Tu m'as envoyé le fichier ?
Oui, je _t'_ ai envoyé le fichier.

d. Ils vous ont répondu ?
Non, ils ne _nous_ ont pas répondu.

e. Tu as fait un message de rappel à Claire ?
Oui, je _lui_ ai fait un message de rappel.

3. Complétez avec un pronom.
Le professeur

« Je suis très proche des élèves. Je _leur_ parle beaucoup. Quand un élève est en difficulté, il peut venir _me_ parler. Je _lui_ donne souvent des exercices complémentaires à faire.
Il faut toujours être attentif avec les élèves. Avant un examen, je _leur_ demande de bien se reposer. Ils _me_ demandent aussi des conseils. »

4. Continuez sur le modèle suivant.
Mauvaise volonté...

a. Demander de regarder le catalogue / ne pas avoir le temps
Je lui ai demandé de regarder le catalogue, il m'a répondu qu'il n'avait pas le temps.

b. Dire de passer à l'agence / être trop loin
Je lui ai dit de passer à l'agence, il m'a répondu que c'était trop loin.

c. Dire de noter l'adresse / ne pas avoir de stylo
Je lui ai dit de noter l'adresse, il m'a répondu qu'il n'avait pas de stylo.

d. Demander de regarder le plan / ne pas savoir se servir de l'application
Je lui ai demandé de regarder le plan, il m'a répondu qu'il ne savait pas se servir de l'application.

e. Dire de faire un effort / ne pas avoir envie !
Je lui ai dit de faire un effort, il m'a répondu qu'il n'avait pas envie !

5. Exprimer le besoin. Complétez avec : *il faut, avoir besoin, devoir*.

a. Il a accepté une invitation. Il _faut_ offrir un petit cadeau.

b. Elle part en vacances en Grèce. Elle _a besoin_ de lunettes de soleil et de crème solaire.

c. Il est fatigué. Il _doit_ se reposer.

d. Je reçois des amis. Il _faut_ préparer leur chambre.

e. Je ne connais pas le sens d'un mot ! J'_ai besoin_ d'un dictionnaire.

f. Elle est malade. Elle _doit_ se soigner.

Vocabulaire

1. Apprenez le vocabulaire.

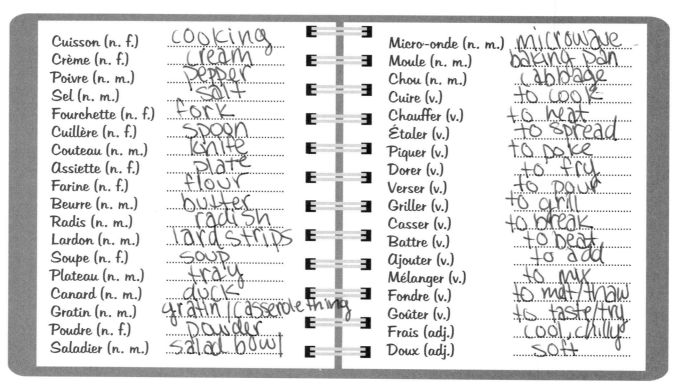

Cuisson (n. f.)	cooking
Crème (n. f.)	cream
Poivre (n. m.)	pepper
Sel (n. m.)	salt
Fourchette (n. f.)	fork
Cuillère (n. f.)	spoon
Couteau (n. m.)	knife
Assiette (n. f.)	plate
Farine (n. f.)	flour
Beurre (n. m.)	butter
Radis (n. m.)	radish
Lardon (n. m.)	lard strips
Soupe (n. f.)	soup
Plateau (n. m.)	tray
Canard (n. m.)	duck
Gratin (n. m.)	gratin / casserole thing
Poudre (n. f.)	Powder
Saladier (n. m.)	salad bowl

Micro-onde (n. m.)	microwave
Moule (n. m.)	baking pan
Chou (n. m.)	cabbage
Cuire (v.)	to cook
Chauffer (v.)	to heat
Étaler (v.)	to spread
Piquer (v.)	to poke
Dorer (v.)	to fry
Verser (v.)	to pour
Griller (v.)	to grill
Casser (v.)	to break
Battre (v.)	to beat
Ajouter (v.)	to add
Mélanger (v.)	to mix
Fondre (v.)	to melt / thaw
Goûter (v.)	to taste / try
Frais (adj.)	cool, chilly
Doux (adj.)	soft

2. Vérifiez la compréhension du document (Livre de l'élève, p. 24). Associez les verbes de la préparation de la recette aux éléments ci-dessous.

a. Préchauffer .... le four.
b. Mélanger .... les œufs et la crème.
c. Étaler .... la pâte.
d. Ajouter .... la muscade.
e. Verser .... la préparation.
f. Faire dorer .... les lardons.
g. Mettre .... au four.

3. Réemployez les verbes de la préparation de la recette dans d'autres situations culinaires.

Petit déjeuner

a. Étaler .... la confiture sur le pain.
b. Piquer .... les saucisses.
c. Mélanger .... le lait et le chocolat.
d. Verser .... le café dans la tasse.
e. Faire dorer .... le bacon.
f. Mettre .... au frigo.

4. Classez les aliments et les ingrédients.

œufs ; crème ; poulet ; lardons ; canard ; semoule de couscous ; confiture ; yaourt ; muscade ; sucre ; sel ; bœuf ; chantilly ; veau ; chou ; steak ; huile ; salade de fruits ; fruits de mer ; poivre

a. Viande : bœuf, veau, steak
b. Volaille : poulet, canard
c. Dessert : confiture, chantilly, salade de fruits
d. Charcuterie : lardons
e. Poisson et crustacés : fruits de mer
f. Pâtes : semoule de couscous
g. Assaisonnement : muscade, sucre, sel, huile, poivre
h. Laitage et autres : œufs, crème, yaourt, chantilly
i. Légumes : chou

5. EXPRIMER LA QUANTITÉ. **Complétez la liste des courses avec :** *du, de la, un, une, ...*

Tu achètes...

...du.... pain, ..des.. fruits, ..des.... yaourts, ..de la. choucroute, ...un... steak, ..de l'.huile, ..des. fruits de mer, ..un.... poulet, ..une... blanquette de veau, ..une.. saucisse, ..du.... beurre, ...un... croissant.

Grammaire

1. AU CAFÉ OU AU RESTAURANT. **Complétez avec le bon article.**

a. – Tu bois ...un............ verre de vin ?
   – Non, ...de l'..... eau minérale. Je fais un régime !

b. – Qu'est-ce que tu prends en entrée ? ......une........ part de quiche ?
   – Non, ..de la...... salade.

c. – Ah ! Oui, ton régime ! Moi, je prends ....des......... champignons à la grecque.
   Et comme plat ? ......Du....... poisson grillé, je suppose ? Moi, je vais prendre ...du.......... poulet avec .....du....... riz.

d. – Pas de dessert bien sûr ? ......Un........ yaourt peut-être ?
   – Ah ! Non ! ....Une...... glace ! J'adore ....la.......... glace !
   – Et moi, ...un....... gâteau au yaourt.

e. – ......Un........ café ?
   – Non, ...un.......... thé !
   – Pourtant, ...le...... café est bon ici. Prends ....un.......... café !

2. Vous donnez la composition du plat unique. Vous utilisez : *quelques, un peu de, beaucoup de.*

Elle est au régime. Au petit déjeuner, elle prend un thé avec ....un peu de.... lait et elle mange ......quelques...... biscottes. Dans la journée, elle boit ...beaucoup d'eau.

3. PETIT DÉJEUNER AU CHOIX. **Complétez.**

Tu prends...

a. Un petit déjeuner à l'anglaise : ....du... thé, ...un... jus de fruit, ...des... céréales, un...... toast, de la.marmelade, ...des.. œufs avec ...du.... bacon.

b. Un petit déjeuner à l'allemande : ...du... café, de la.compote, ...du... fromage, ..de la... viande froide, ...du.... pain, ..du... beurre.

c. Un petit déjeuner à la hollandaise : ...du.... café, ...du.... jambon, du....... gouda, ..un.... jus de pomme, ...des.... céréales.

d. Un petit déjeuner à l'italienne : ...un... expresso ou ...un.... cappuccino, ...un.... croissant sec, à la crème ou à la confiture.

e. Un petit déjeuner à l'espagnole : ...un... café au lait, ...du... pain grillé, ..du... beurre.

Oral

1. SONS [y], [u], [i]. **Écoutez et cochez.**
Au choix

N° 6

	[y]	[u]	[i]
a. Jus de pamplemousse ou jus de kiwi ?	II	II	II
b. Confiture d'abricot ou confiture de cerise ?	II	I	IIII
c. Frites ou choucroute ?		III	I
d. Riz ou couscous ?		III	I
e. Saucisse ou poulet ?		II	I
f. Légumes ou soupe ?	I	II	

Vocabulaire

1. Apprenez le vocabulaire.

Piment (n. m.) _chili pepper_
Citron (n. m.) _lemon_
Ail (n. m.) _garlic_
Vampire (n. m.) _vampire_
Alcool (n. m.) _alcohol_

Remarquer (v.) _to notice_
Reprendre (v.) _to take/have more_
Impressionnant (adj.) _impressive_

2. Vérifiez la compréhension de la séquence 24 (Livre de l'élève, p. 26). Retrouvez qui dit quoi.

a. « Il a un goût de piment peut-être ? » : _Mélanie_
b. « C'est un goût de citron. » : _Li Na_
c. « Bravo pour la présentation ! » : _Li Na_
d. « Il est parfait ! » : _Mélanie_
e. « Je n'ai plus très faim. » : _Ludovic_
f. « On met du citron et beaucoup d'ail. » : _Greg_

3. EXPRIMER DES SENTIMENTS. Associez.

a. Tu es magnifique ! _4._
b. Tu peux vraiment mieux faire... _2._
c. Tu ne me dis plus jamais ça ! _6._
d. Je suis vraiment contente d'être là ! _5._
e. Vous me manquez... Je voudrais être avec vous. _1._
f. Hélas ! Nous n'avons plus de nouvelles... _3._

1. Regret
2. Déception
3. Tristesse
4. Admiration
5. Joie
6. Colère

4. APPRÉCIER, FÉLICITER. Cochez.

	Apprécier	Féliciter
a. Parfait, votre travail !	X	
b. Superbe cette veste !	X	
c. Bravo pour votre réussite !		X
d. Continuez comme ça, vous allez y arriver !	X	
e. Quelle performance !		X
f. Tous mes vœux de bonheur !		X

5. Associez actions et expressions.

porter un toast ; inviter à se resservir ; accueillir ; remercier ; prendre congé ; apprécier

a. « Soyez les bienvenus ! » → _accueillir_
b. « C'est délicieux ! » → _apprécier_
c. « Elles sont magnifiques ! » → _remercier_
d. « Au plaisir de vous revoir bientôt ! » → _prendre congé_
e. « Encore une petite part de dessert ? » → _inviter à se resservir_
f. « Je lève mon verre à la réussite de Noémie ! » → _porter un toast_

Grammaire

1. **Répondez par *oui* et par *non*. Complétez en utilisant un pronom.**

a. – Tu aimes le poulet ?
– Oui, je l'aime.
/ – Non, je ne l'aime pas.

b. – Vous aimez les radis ?
– Oui, je les aime.
/ – Non, je ne les aime pas.

c. – Elle adore la glace ?
– Oui, elle l'adore.
/ – Non, elle ne l'adore pas.

d. – Tu apportes le café ?
– Oui, je l'apporte.
/ – Non, je ne l'apporte pas.

e. – Tu fais la quiche ?
– Oui, je le fais.
/ – Non, je ne le fais pas.

f. – Vous produisez votre vin ?
– Oui, nous le produisons.
/ – Non, nous ne le produisons pas.

2. **Complétez le dialogue en répondant avec un pronom.**

a. – Vous faites les exercices ?
– Oui, je les fais.

b. – Vous écrivez l'exemple ?
– Oui, je l'écris.

c. – Vous lisez la consigne ?
– Oui, je la lis.

d. – Vous connaissez les règles de grammaire ?
– Oui, je les connais.

e. – Vous utilisez le dictionnaire ?
– Oui, je l'utilise

f. – Vous notez l'expression ?
– Oui, je la note

3. **Répondez en utilisant *en*.**

a. – Tu fais du sport ?
– Oui, j'en fait

b. – Tu as un vélo ?
– Oui, j'en ai un.

c. – Elle fait de la natation ?
– Oui, elle en fait.

d. – Elle prend des cours ?
– Oui, elle en prend.

e. – Il y a beaucoup de gens qui prennent des cours ?
– Oui, il y en a beaucoup.

f. – Tu connais des participants ?
– Oui, j'en connais.

Oral

1. **Répondez avec *en* comme dans l'exemple.**

N° 7

a. – Elle en prend ?
– **Oui, elle en prend.**

b. – Il en donne ?
– Oui, il en donne.

c. – Tu en achètes ?
– Oui, j'en achète.

d. – Vous en donnez ?
– Oui, j'en donne.

e. – Il en a ?
– Oui, il en a.

f. – Tu en prends ?
– Oui, j'en prends.

Vocabulaire

1. Apprenez le vocabulaire.

Pote (n. m.) ...... *buddy*
Horreur (n. f.) ...... *horror*
Blague (n. f.) ...... *joke*
Poker (n. m.) ...... *poker*
Tarot (n. m.) ...... *French game*
Sort (n. m.) ...... *fate*
Discuter (v.) ...... *to talk about*

Délirer (v.) ...... *to be crazy*
Maquiller (se) (v.) ...... *to do one's makeup*
Déguiser (se) (v.) ...... *to disguise*
Raconter (v.) ...... *to tell*
Retrouver (se) (v.) ...... *to meet again*
Tirer (v.) ...... *to pull*
Adieu (interjection) ...... *farewell*

2. Vérifiez la compréhension du Forum (Livre de l'élève, p. 28). Attribuez ces caractéristiques d'une soirée à chacun des participants. Cochez.

	Ted	Louise	Cédric	Romain	Léa
a. Délirer			X		
b. Regarder un film			X		
c. Discuter	X				
d. Jouer aux cartes				X	
e. Chanter		X			
f. Rencontrer					X
g. Refaire le monde	X				
h. Se maquiller			X		
i. Danser		X			
j. Raconter					X
k. Se déguiser			X		
l. Se faire de nouveaux amis					X

3. Caractérisez à l'aide d'un adjectif de la liste.

dynamique ; décontracté ; intellectuel ; original ; joyeux ; curieux ; créatif ; joueur

a. Elle s'intéresse à beaucoup de choses, c'est un esprit ..... *curieux* .

b. Il ne se complique pas la vie, il est ..... *décontracté* .

c. Elle a toujours une idée nouvelle en tête, elle est ..... *créative* .

d. Il faut toujours qu'il parie, il est ..... *joueur* .

e. Son monde, c'est le monde des idées, il est ..... *intellectuel* .

f. Elle a toujours des points de vue différents sur les choses, elle est ..... *originale* .

g. Elle propose toujours des choses nouvelles à faire, elle est ..... *dynamique* .

h. Il prend toujours les choses du bon côté, il est ..... *joyeux* .

4. Trouvez le contraire. Associez.

a. dynamique   5.
b. décontracté   6.
c. intellectuel   1.
d. original   7.
e. joyeux   8.
f. curieux   2.
g. créatif   4.
h. joueur   3.

1. pratique
2. qui ne s'intéresse à rien
3. sérieux
4. qui n'aime pas innover
5. passif
6. soucieux
7. classique
8. triste

100/100 Bien! *Make sure to correct with a pen/pencil of another color, to show what you have corrected!*

5. Lisez le portrait. Trouvez le bon adjectif.

Il est né dans une famille qui n'avait pas beaucoup d'argent. À l'école, il travaillait bien. À la médiathèque, il lisait des livres dans tous les domaines. Il ne parlait pas beaucoup avec les autres élèves. Il a réussi tous ses examens. Il a eu ensuite envie de voyager un peu partout à travers le monde. Et ses voyages sont devenus des livres qui ont connu un grand succès.

a. Il est né dans une famille **pauvre**.
b. À l'école, il a été *bon* élève.
c. Il a été un lecteur *curieux*.
d. Il a été un étudiant *brilliant*.
e. Il a été un *grand* voyageur.
f. C'est un écrivain *célèbre*.

Grammaire

1. Répondez avec y.
Loisirs

a. On va au cinéma ? Oui, on *y va*.
b. Tu vas au match ? Non, *je n'y vais pas*.
c. Tu penses aux billets pour le concert ?
   Oui, *j'y pense*.
d. Elle croit au succès de son livre ? Oui, *elle y croit*.
e. Tu passes chez Judith ? Oui, *j'y passe*.
f. Tu t'es inscrit à la randonnée ?
   Oui, *je m'y suis inscrit*.

2. Transformez avec : lui, leur.
Cadeaux

a. On prend un DVD pour David ?
→ **On lui prend un DVD ?**
b. On offre des fleurs à ses parents ?
→ *On leur offre des fleurs* ?
c. On envoie un bracelet à Léa ?
→ *On lui envoie un bracelet* ?
d. On apporte des gâteaux aux enfants ?
→ *On leur apporte des gâteaux* ?
e. On donne cette lampe à Cédric ?
→ *On lui donne cette lampe* ?
f. On propose à Louise de venir au spectacle ?
→ *On lui propose de venir au spectacle* ?

3. Répondez en utilisant des verbes pronominaux.
Connectés

a. – Tu te sers de l'ordinateur ?
   – Oui, *je me sers l'ordinateur.*
b. – Vous vous connectez souvent ?
   – Oui, *nous nous connectons souvent.*
c. – Vous vous parlez entre amis ?
   – Oui, *nous nous parlons entre amis.*
d. – Ils s'intéressent à la politique ?
   – Oui, *ils s'intéressent à la politique.*
e. – Tu t'es inscrite sur des sites spécialisés ?
   – Oui, *je me suis inscrite sur des sites spécialisés.*

4. Complétez avec des verbes pronominaux. Conjuguez.
Chacun leur dimanche...

a. Le dimanche, je (se lever) *me lève* tard.
   Je (se réveiller) *me réveille* à 10 h.
b. Le matin, ils (s'occuper) *s'occupent* du jardin.
c. L'après-midi, nous (se promener) *nous promenons* en forêt. Nous (s'asseoir) *nous asseyons* au bord du lac.
d. En fin d'après-midi, vous (se retrouver) *vous retrouvez* avec des amis. Vous (se rencontrer) *vous rencontrez* dans un bar.
e. Le soir, tu (se coucher) *te couches* tôt.

Oral

N° 8 1. Réécoutez les messages de l'exercice 9 (Livre de l'élève, p. 29). Relevez les informations suivantes dans chaque message.

	Qui ?	Quand ?	Quoi ?
Message 1	Olivia	jeudi soir	un apéritif
Message 2	Lucas	samedi	anniversaire
Message 3	Jérémie	ce soir	poker
Message 4	Charlotte	vendredi	soirée

série télé entre copines

N° 9 2. Répondez.

a. – Tu vas au cours ? – **Oui, j'y vais.**
b. – Elle travaille à son examen ? – Oui, *elle y travaille*.
c. – Vous vous intéressez au texte ? – Oui, *nous nous y intéressons*.
d. – Elles réfléchissent au sujet ? – Oui, *elles y réfléchissent*.
e. – Tu penses aux exemples ? – Oui, *j'y pense*.
f. – Vous vous inscrivez au concours ? – Oui, *nous nous y inscrivons*.

dix-neuf **19**

Vocabulaire

1. Apprenez le vocabulaire.

Crêpe (n. f.)	_crepe_
Charcuterie (n. f.)	_cold cuts_
Fouet (n. m.)	_whisk_
Joie (n. f.)	_joy_
Peine (n. f.)	_effort_
Bonheur (n. m.)	_pleasure_
Mariage (n. m.)	_marriage_
Cérémonie (n. f.)	_ceremony_
Vin d'honneur (n. m.)	_reception_
Confiance (n. f.)	_confidence_
Vernissage (n. m.)	_private viewing_
Garnir (v.)	_to stuff / fill / decorate / garnish_

Additionner (v.)	_to add_
Soustraire (v.)	_to subtract / take away_
Multiplier (v.)	_to multiply_
Diviser (v.)	_to split / divide_
Décider (v.)	_to decide_
Annoncer (v.)	_to announce_
Célébrer (v.)	_to celebrate_
Rire (v.)	_to laugh_
Partager (v.)	_to share / divide_
Convier (v.)	_to invite_
Fin (adj.)	_end_

2. Barrez l'intrus.

a. mer – rivière – ~~forêt~~
b. forêt – parc – ~~château~~
c. ~~château~~ – hôtel – restaurant
d. ~~bar~~ – appartement – maison
e. ~~auberge~~ – salle des fêtes – discothèque
f. galerie – ~~agence~~ – musée

3. Cuit ou cru ? Classez les aliments.

pomme ; salade ; gâteau ; haricots verts ; tomates ; canard ; agneau ; sole ; radis ; œufs ; champignons ; banane ; thon ; jambon

a. Cuit : gâteau; haricots verts; agneau; sole; œufs; champignons; thon; jambon

b. Cru : pomme; salade; tomates; radis; banane

4. Sucré ou salé ? Classez les aliments.

tarte aux fruits ; porc ; morue ; glace ; pizza ; cerise ; agneau ; saumon ; olives ; ananas ; mousse au chocolat ; banane.

a. Sucré : tarte aux fruits, glace; cerise; ananas; mousse au chocolat; banane

b. Salé : porc; morue; pizza; agneau; saumon; olives

5. **Réemployez les verbes dans d'autres contextes.**

cuire ; verser ; mélanger ; battre ; ajouter ; chauffer

a. mélanger les styles

b. .... *battre* .... la mesure

c. .... *ajouter* .... du piment à l'histoire

d. .... *verser* .... de l'huile sur le feu

e. .... *chauffer* .... la salle

f. Être dur à .... *cuire* ....

6. **Vérifiez la compréhension des invitations (Livre de l'élève, p. 31). Vrai ou faux ?**

	VRAI	FAUX
a. Nathalie et Guillaume se marient à la salle des fêtes d'Annoeullin.	☐	☑
b. Yves Raymond peint des aquarelles.	☑	☐
c. Laure-Anne fête son anniversaire.	☑	☐
d. Nathalie et Guillaume invitent à un vin d'honneur.	☑	☐
e. Yves Raymond expose à l'Association Artothèque.	☐	☑
f. La soirée de Laure-Anne est une soirée privée.	☑	☐

COMPRÉHENSION DES ÉCRITS

Vous recevez un courriel d'un ou d'une amie. Répondez aux questions. Cochez la bonne réponse.

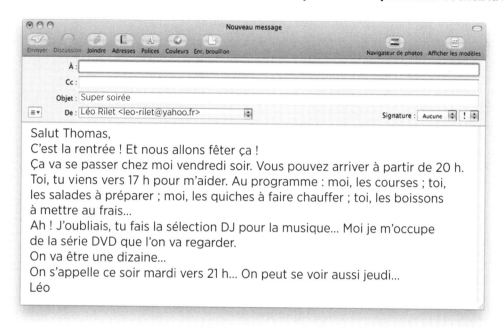

	Nouveau message	
Envoyer Discussion Joindre Adresses Polices Couleurs Enr. brouillon		Navigateur de photos Afficher les modèles

À :

Cc :

Objet : Super soirée

De : Léo Rilet <leo-rilet@yahoo.fr>   Signature : Aucune

Salut Thomas,
C'est la rentrée ! Et nous allons fêter ça !
Ça va se passer chez moi vendredi soir. Vous pouvez arriver à partir de 20 h.
Toi, tu viens vers 17 h pour m'aider. Au programme : moi, les courses ; toi,
les salades à préparer ; moi, les quiches à faire chauffer ; toi, les boissons
à mettre au frais...
Ah ! J'oubliais, tu fais la sélection DJ pour la musique... Moi je m'occupe
de la série DVD que l'on va regarder.
On va être une dizaine...
On s'appelle ce soir mardi vers 21 h... On peut se voir aussi jeudi...
Léo

a. Léo invite ses amis pour fêter...
- ❑ son anniversaire.
- ❑ les vacances.
- ❑ un nouveau travail.
- ☒ la rentrée.

b. Léo donne rendez-vous à ses amis à...
- ☒ 20 h.
- ❑ 17 h.
- ❑ 21 h.

c. Qui fait quoi ?
Léo : _les courses, faire réchauffer les quiches ; le choix de la série DVD_
Thomas : _préparer les salades, mettre les boissons au frais, sélection DJ_

d. La fête a lieu...
- ❑ mardi.
- ☒ vendredi.
- ❑ jeudi.

COMPRÉHENSION DE L'ORAL

n° 10

Vous êtes en France. Vous entendez ces conversations. Écoutez le document et reliez le dialogue à la situation correspondante.

	Dialogue 1	Dialogue 2	Dialogue 3	Dialogue 4
Demander, donner des informations		X	X	
Faire les courses	X	X		
Accueillir				X
Conseiller pour un achat		X	X	

PRODUCTION ÉCRITE

1. RACONTER UNE EXPÉRIENCE

Sur votre page Facebook, vous racontez pour vos amis une bonne soirée que vous avez passée.
Vous dites pourquoi cette soirée a été particulièrement agréable. (60 mots minimum)

Cette soirée que j'ai la semaine dernière était
parfait! C'était beaucoup de boissons et nourriture.
Julie, je te remercie! Le gâteau que t'as apporté était
incroyable. J'espère tous les amis bientôt! Quand
nous allons avoir la soirée prochaine? *wink*

2. RÉPONDRE À UN MESSAGE

Vous recevez un message d'un ami. Vous répondez. Vous le remerciez et vous acceptez l'invitation.
Vous lui demandez des précisions. Vous lui dites ce que vous allez apporter.

Nouveau message

Envoyer Discussion Joindre Adresses Polices Couleurs Enr. brouillon

À :

Objet : C'est la fête !

De : lucas@icloud.com

Salut Hugo !
L'arrivée de l'été, le 20 juin, ça se fête ! J'ouvre
mon grand jardin et tu ouvres tes oreilles ! On va
faire de la musique... Apporte ton saxo.
Côté boire et manger, merci d'apporter quelque
chose, ce que tu veux...
Je t'attends... Réponds-moi vite !

Lucas!

Merci pour ton message.
Je vais y aller!

À quelle heure je vais arriver?

Je vais apporter quelques
boissons ... du coke, du
jus d'orange et, bien sûr,
de l'alcool.

À bientôt!

PRODUCTION ORALE

PARLER DE SOI : son identité ; son lieu d'habitation, sa ville ; ses activités ; ses loisirs.

Vocabulaire

1. Apprenez le vocabulaire.

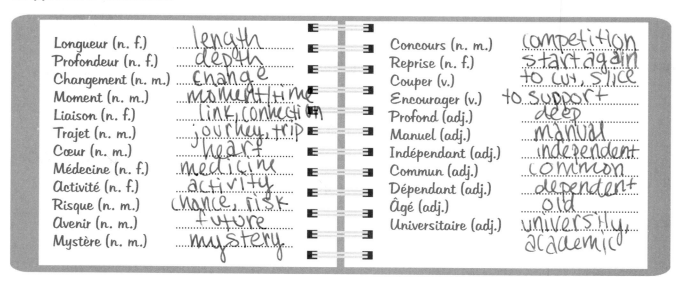

Longueur (n. f.) — length
Profondeur (n. f.) — depth
Changement (n. m.) — change
Moment (n. m.) — moment/time
Liaison (n. f.) — link, connection
Trajet (n. m.) — journey, trip
Cœur (n. m.) — heart
Médecine (n. f.) — medicine
Activité (n. f.) — activity
Risque (n. m.) — chance, risk
Avenir (n. m.) — future
Mystère (n. m.) — mystery

Concours (n. m.) — competition
Reprise (n. f.) — start again
Couper (v.) — to cut, slice
Encourager (v.) — to support
Profond (adj.) — deep
Manuel (adj.) — manual
Indépendant (adj.) — independent
Commun (adj.) — common
Dépendant (adj.) — dependent
Âgé (adj.) — old
Universitaire (adj.) — university, academic

2. Vérifiez la compréhension du document (Livre de l'élève, p. 36). Associez ces éléments aux différents aspects d'une ligne de vie.

a. Énergie ; activités physiques :
une ligne de vie longue

b. Grand changement :
une ligne de vie courte

c. Rencontre importante ; nouvelle activité professionnelle :
une ligne de vie coupée

d. Nature ; activités manuelles :
une ligne de vie profonde

e. Personne intellectuelle :
une ligne de vie peu profonde

f. Indépendant ; aime prendre des risques :
les lignes sont séparés

g. Besoin d'encouragement ; travail d'équipe :
les lignes suivent un trajet commun

3. Trouvez le contraire dans la liste.

ordinaire ; séparé ; dépendant ; insignifiant ; intellectuel ; superficiel

a. Une personne indépendante → ?. dépendante

b. Un esprit profond → superficiel

c. Une rencontre importante → insignifiant ordinaire

d. Des activités manuelles → intellectuelles

e. Un trajet commun → séparé

f. Une personne chère → ordinaire insignifiant

4. Complétez avec les adjectifs utilisés dans l'exercice 3.

a. Il a l'esprit libre. Il est très indépendant.

b. Impossible de parler de choses sérieuses avec elle. Elle est trop superficielle.

c. Il ne sait rien faire avec ses mains. Lui, c'est les activités intellectuelles.

d. Elle aime aller au fond des choses. Sa pensée est profonde.

e. Il n'est pas beau. Son physique est très ordinaire.

c'est méchant!

5. DES ANNONCES QUI PARLENT DU FUTUR. Retrouvez les mots qui expriment le futur.

a

Job Office cherche

DIRECTEUR PÉDAGOGIQUE

Vous serez responsable de la stratégie de l'activité de cours de langue.
Vous développerez de nouvelles offres.
Vous coordonnerez le travail de l'équipe pédagogique.

b

L'avenir vous appartient

Construisons ensemble la France du futur !

e LE FUTUR N'ATTEND QUE VOUS

Disney
À LA POURSUITE DE DEMAIN

c

MÉTÉO DEMAIN

Prévisions
Temps pluvieux et frais au Nord
Ensoleillé et doux au Sud

d

Adelina Voyante

Avenir professionnel,
promesse de mariage,
retour de l'être aimé

Consultations en ligne :
Adelina.com

a. serez, développerez, coordonnerez
b. l'avenir, futur
c. demain, prévisions
d. avenir
e. demain

6. Complétez avec les mots de l'exercice précédent.

a. Vous devez décider aujourd'hui. ...Demain..., il sera trop tard.

b. ...Les prévisions... économiques ne sont pas bonnes pour l'année prochaine.

c. L'...avenir... de l'entreprise est incertain.

d. Vous ne ...dévelloperez... pas de nouveaux marchés.

e. Dans ...le futur..., il va falloir travailler autrement.

Grammaire

1. Complétez la conjugaison de ces verbes au futur.

Demain...

a. Je (parler) ...parlerai... au professeur.
b. Tu (venir) ...viendras... au lycée.
c. Il (avoir) ...aura... une nouvelle tablette.
d. Elle (savoir) ...saura... sa leçon.
e. Nous (faire) ...ferons... les exercices.
f. Vous (aller) ...irez... à la bibliothèque.
g. Ils (voir) ...verront... la vidéo du projet.
h. Elles (finir) ...finiront... la lecture de l'article.

2. Trouvez la question.

a. Quand est-ce que tu viendras ?
Je viendrai demain.
b. ...Quand est-ce qu'elle partira... ?
Elle partira demain.
c. ...À quelle heure est-ce que vous vous lèverez... ?
Nous nous lèverons à 6 h.
d. ...À quelle heure est-ce que tu ouvriras... ?
J'ouvrirai le magasin à 9 h.
e. ...Quand est-ce que vous descendrez au village... ?
Nous descendrons au village vendredi.
f. ...Quand est-ce que tu sortiras... ?
Je sortirai dimanche.

3. Exprimez un espoir.

Balade

a. Partir ensemble → J'espère que nous ...partirons ensemble...
b. Être prêt → J'espère que tu ...seras prêt...
c. Faire beau → J'espère qu'il ...fera beau...
d. Pouvoir monter jusqu'au sommet → J'espère qu'ils ...pourront monter jusqu'au sommet...
e. Savoir indiquer le bon chemin → J'espère qu'elle ...saura indiquer le bon chemin...
f. Revenir → J'espère que vous ...reviendrez...

Oral

N° 11

1. Écoutez et notez les « e » non prononcés.

a. Je réaliserai
b. Tu continueras
c. Elle confirmera

d. Nous créerons
e. Vous tournerez
f. Ils échangeront

Vocabulaire

1. Apprenez le vocabulaire.

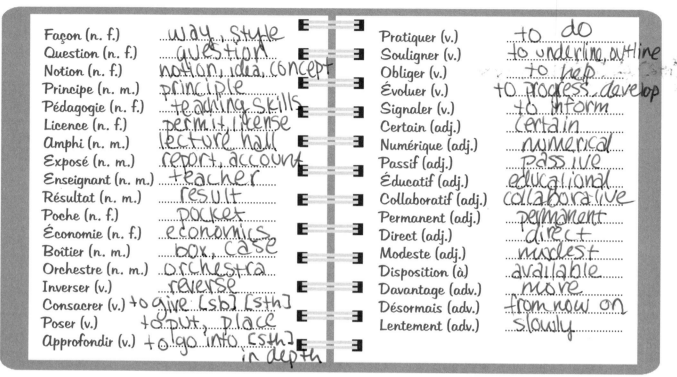

Façon (n. f.) — *way, style*
Question (n. f.) — *question*
Notion (n. f.) — *notion, idea, concept*
Principe (n. m.) — *principle*
Pédagogie (n. f.) — *teaching skills*
Licence (n. f.) — *permit, license*
Amphi (n. m.) — *lecture hall*
Exposé (n. m.) — *report, account*
Enseignant (n. m.) — *teacher*
Résultat (n. m.) — *result*
Poche (n. f.) — *pocket*
Économie (n. f.) — *economics*
Boîtier (n. m.) — *box, case*
Orchestre (n. m.) — *orchestra*
Inverser (v.) — *reverse*
Consacrer (v.) — *to give [sb] [sth]*
Poser (v.) — *to put, place*
Approfondir (v.) — *to go into [sth] in depth*

Pratiquer (v.) — *to do*
Souligner (v.) — *to underline, outline*
Obliger (v.) — *to help*
Évoluer (v.) — *to progress, develop*
Signaler (v.) — *to inform*
Certain (adj.) — *certain*
Numérique (adj.) — *numerical*
Passif (adj.) — *passive*
Éducatif (adj.) — *educational*
Collaboratif (adj.) — *collaborative*
Permanent (adj.) — *permanent*
Direct (adj.) — *direct*
Modeste (adj.) — *modest*
Disposition (à) — *available*
Davantage (adv.) — *more*
Désormais (adv.) — *from now on*
Lentement (adv.) — *slowly*

2. Vérifiez la compréhension du document *Nouvelles façons d'apprendre* (Livre de l'élève, p. 38). Répondez aux questions.

• La classe inversée

a. Quel est le principe de la pédagogie inversée ?
C'est d'étudier quand on veut et poser des questions en classe.

b. Où les professeurs déposent-ils les documents de travail ?
Les professeurs les déposent sur les E.N.I.

c. Quels sont les avantages de la classe inversée ?
C'est plus facil pour les étudiants qu'ils ne peuvent pas aller à l'université tous les jours.

• Les MOOC

d. Pourquoi parle-t-on de « Starbucks university » ?
Parce que les étudiants peuvent travailler ensemble d'où ils voulont.

• Le cours collaboratif

e. À quoi sert le boîtier numérique ?
Le boîtier sert à signaler au prof les questions.

f. Qu'est-ce qui permet aux étudiants de partager leurs notes de cours en direct ?
Twitter permet de partager des notes de cours en direct.

3. Complétez ces phrases avec un verbe.

approfondir ; poser ; signaler ; consacrer ; inverser

Réunion d'entreprise chez un constructeur automobile

a. Le directeur commercial ...*pose*... le problème de la baisse des ventes du modèle Diva.

b. Le responsable des exportations ...*signale*... aux participants les mauvais résultats en Asie.

c. Il faut absolument ...*inverser*... cette tendance.

d. Les ingénieurs doivent ...*consacrer*... leurs recherches à un nouveau modèle plus compétitif.

e. L'équipe marketing va ...*approfondir*... la question et faire bientôt des propositions.

4. Transformez comme dans l'exemple en remplaçant le verbe par un substantif.

a. La tendance s'est <u>inversée</u>. → **Inversion** de la tendance

b. Il faut <u>approfondir</u> la question. → l'*approfondissement* de la question

c. Il est <u>obligé</u> de réussir. → Il a une *obligation* de réussite.

d. Sa carrière doit <u>évoluer</u>. → L'*évolution* de sa carrière est une nécessité.

e. Ce succès <u>consacre</u> ses efforts. → Ce succès marque le *consécration* de ses efforts.

5. Construisez les expressions. Associez.

a. C'est un original, j'aime bien sa façon de .... *6. penser* ....

b. Il ne changera pas d'avis, c'est une question de .... *4. principe* ....

c. Ce n'est pas un homme compliqué, il est très attaché au principe de .... *1. réalité* ....

d. Il lui est important de se faire comprendre, il pratique une pédagogie de .... *2. l'explication* ....

e. Il veut que ça marche, il a une volonté de .... *5. résultats* ....

f. Il parle peu, il est très économe de ses .... *3. mots* ....

1. réalité
2. l'explication
3. mots
4. principe
5. résultats
6. penser

6. CARACTÉRISER. Complétez.

permanent ; direct ; passif ; collaboratif ; certain ; modeste

a. Il est très brillant, on lui prédit un avenir ..... *certain* .

b. Cette question politique fait l'objet d'un débat ..... *permanent*

c. C'est un début, le résultat est .... *modeste*

d. Il va droit au but, ses questions sont toujours .... *directes*.

e. Il aime bien travailler en équipe, il a un esprit .... *collaboratif*

f. Il ne prend jamais position, il a une attitude ..... *passive*.

Grammaire

1. Répondez à la question en utilisant la forme « *en* + participe présent ».

a. Comment va-t-il trouver la solution ?
(*Chercher sur son ordinateur*) **En cherchant sur son ordinateur.**

b. Comment peut-il trouver les documents ?
(*Se connecter sur le site*) ..... *En se connectant sur la site.*

c. Comment peut-il avoir accès aux fichiers ?
(*Composer le code*) ..... *En composant le code.*

d. Comment aura-t-il la réponse ?
(*Consulter son espace personnel*) ..... *En consultant son espace personnel.*

e. Comment va-t-il dialoguer avec son professeur ?
(*Utiliser son boîtier numérique*) ..... *En utilisant son boîtier numérique.*

2. Caractérisez avec un adverbe.
Qualités

a. Elle travaille avec facilité. → Il travaille **facilement**.

b. Elle répond avec rapidité aux questions. → Elle répond
..... *rapidement*

c. Elle lit de manière différente. → Elle lit ..... *différemment*

d. Elle chante bien, de manière incroyable. → Elle chante
..... *incroyablement*

e. Elle s'engage avec efficacité. → Elle s'engage
..... *efficacement*

f. Elle s'intéresse de manière vraie aux autres. → Elle s'intéresse
..... *vraiment*

3. Caractérisez les actions en utilisant « *en* + participe présent ».
Faire deux choses en même temps

a. Je lis. J'écoute de la musique. → **Je lis en écoutant de la musique.**

b. Elle consulte ses courriels. Elle téléphone.
→ *Elle consulte ses courriels en téléphonant.*

c. Elle fait du sport chez elle. Elle regarde une série.
→ *Elle fait du sport chez elle en regardant une série.*

d. Il répond. Il pense à autre chose.
→ *Il répond en pensant à autre chose.*

e. Il parle. Il dort.
→ *Il parle en dormant.*

f. Elle goûte. Elle cuisine.
→ *Elle goûte en cuisinant.*

Oral

1. Transformez l'adjectif en adverbe en [əmã].
N° 12

a. Aimable : ..... *aimablement*

b. Idéal : ..... *idéalement*

c. Libre : ..... *librement*

d. Joli : ..... *joliment*

e. Fin : ..... *finement*

f. Joyeux : ..... *joyeusement*

2. Transformez l'adjectif en adverbe en [amã].
N° 13

a. Différent : ..... *différemment*

b. Intelligent : ..... *intelligemment*

c. Indépendant : ..... *indépendamment*

d. Plaisant : ..... *plaisamment*

e. Excellent : ..... *excellemment*

Vocabulaire

1. Apprenez le vocabulaire.

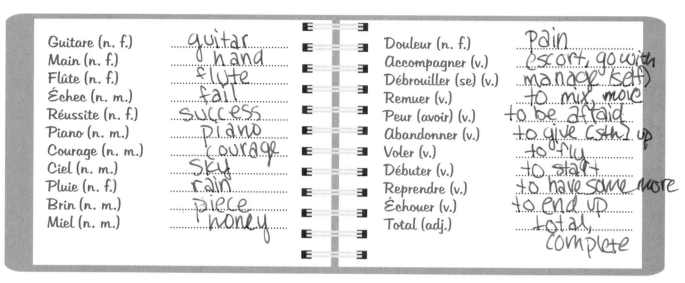

Guitare (n. f.) *guitar*
Main (n. f.) *hand*
Flûte (n. f.) *flute*
Échec (n. m.) *fail*
Réussite (n. f.) *success*
Piano (n. m.) *piano*
Courage (n. m.) *courage*
Ciel (n. m.) *sky*
Pluie (n. f.) *rain*
Brin (n. m.) *piece*
Miel (n. m.) *honey*

Douleur (n. f.) *pain*
Accompagner (v.) *escort, go with*
Débrouiller (se) (v.) *manage (self)*
Remuer (v.) *to mix, move*
Peur (avoir) (v.) *to be afraid*
Abandonner (v.) *to give (sth) up*
Voler (v.) *to fly*
Débuter (v.) *to start*
Reprendre (v.) *to have some more*
Échouer (v.) *to end up*
Total (adj.) *total, complete*

2. Vérifiez la compréhension de la séquence 26 (Livre de l'élève, p. 40). Vrai ou faux ?

	VRAI	FAUX
a. Madame Dumas fait de la guitare.	☑	☐
b. Madame Dumas a fait dix ans de piano.	☐	☑
c. Madame Dumas n'a pas réussi à jouer de la flûte.	☑	☐
d. Madame Dumas voudrait accompagner à la guitare « Dernière Danse » d'Indila.	☑	☐
e. Greg encourage madame Dumas.	☑	☐

3. Vérifiez la compréhension de la chanson « Dernière Danse » d'Indila (Livre de l'élève, p. 40). Retrouvez les verbes.

a. Je .... remue .... le ciel.
b. Dans tout Paris, je ...... m'abandonne ....
c. ...... Revient ...... la douleur.
d. Je ...... danse ...... avec le vent.
e. Et je ...... danse ....
f. Dans le bruit, je ...... cours ...... et j' ...... ai peur ......

4. Formez des expressions avec les verbes.

reprendre ; se débrouiller ; échouer ; abandonner ; accompagner ; remuer ; voler

La journée d'une mère étudiante

a. ...... Accompagner ...... les enfants à l'école.
b. ...... Se débrouiller ...... pour arriver à l'heure à la fac.
c. ...... Remuer ...... ciel et terre pour trouver un petit boulot.
d. ...... Échouer ...... à un examen difficile.
e. ...... Reprendre ...... ses études à l'âge de 30 ans.
f. ...... Voler ...... au secours d'un vieux monsieur tombé dans la rue.
g. ...... Abandonner ...... ses cours de danse.

5. Trouvez le substantif qui correspond dans la liste de vocabulaire (exercice 1, ci-dessus).

a. Il n'a pas peur des difficultés. → ...... le courage ......
b. Elle n'a pas réussi. → ...... l'échec ......
c. Il a mal. → ...... la douleur ......
d. Elle a été nommée directrice. → ...... la réussite ......
e. Il fait 20 choses par jour. → ...... l'énergie ......
f. Elle n'abandonne jamais. → ...... la volonté ......

Grammaire

1. **Complétez avec les verbes de la liste.**

commencer ; débuter ; s'arrêter ; recommencer (à) ; reprendre ; finir (de)

C'est la vie !

a. J'*ai commencé* .... à travailler très jeune.

b. Je *me suis arrêtée* .... de travailler pour élever les enfants.

c. J'*ai recommencé* .... des études pour changer de métier.

d. J'*ai débuté* ... dans un nouveau travail, un an après. Ce n'était pas facile.

e. J'*ai repris* .... des cours de musique à ce moment-là.

f. On n'*a pas fini* .... de m'entendre !!!

2. **Complétez les questions avec les verbes de la liste.**

commencer ; débuter ; rester ; s'arrêter ; recommencer (à) ; reprendre ; finir (de)

Interview – Retour à une première passion : la photographie

a. Pourquoi vous *vous êtes arrêté* .... de travailler dans la mode ?

b. Quand avez-vous décidé de *reprendre* .... votre travail de photographe ?

c. C'est là que vous *avez commencé* .... à voyager...

d. Quand *a débuté* .... votre voyage au Bhoutan ?

e. Vous *êtes resté* .... combien de temps ?

f. C'est là que vous *avez recommencé* ... à faire de la photographie ?

g. Vous allez bientôt avoir *fini* .... d'éditer vos photos ?

3. **Conjuguez les verbes : *essayer, envoyer, payer, s'ennuyer*.**

a. Tu *(essayer)* *essaies* .... de trouver une date pour la réunion ?

b. Vous *(envoyer)* *envoyez* .... un message.

c. Cela m' *(ennuyer)* *ennuie* .... de ne pas pouvoir les prévenir.

d. Ils *(payer)* *paient* .... pour leurs erreurs.

e. Nous *(essayer)* *essayons* .... de les contacter.

f. Ils n' *(envoyer)* *envoient* .... pas de signes de bonne volonté.

g. Nous les *(ennuyer)* *ennuyons* .... c'est sûr !

Oral

N° 14

1. **Réussite ou échec ? Cochez.**

	Réussite	Échec
a. J'ai perdu.		X
b. J'ai gagné.	X	
c. J'y suis arrivé.	X	
d. Je n'ai pas trouvé l'adresse.		X
e. Je suis tombé à ski.		X
f. J'ai découvert la solution.	X	
g. J'ai enquêté sans résultat.		X
h. Félicitations pour l'examen.	X	

Unité 2 - Leçon 4 - Connaître l'organisation des études

Vocabulaire

1. Apprenez le vocabulaire.

"mistress"

Honte (n. f.)	shame
Maîtresse (n. f.)	schoolteacher
Poème (n. m.)	poem
Seconde (n. f.)	second
Colère (n. f.)	anger
Étape (n. f.)	stage, step
Pharmacie (n. f.)	pharmacy
Master (n. m.)	master's
Baccalauréat (n. m.)	high school diploma
Lycée (n. m.)	high school
Mention (n. f.)	merit, honor
Adulte (n.m.)	adult
Sciences humaines (n. f. pl.)	human sciences
Applaudir (v.)	to clap, applaud
Rire (v.)	to laugh
Représenter (v.)	to present [sth] again

Copier (v.)	to copy
Coller (v.)	to paste
Punir (v.)	to punish
Respecter (v.)	to respect
Étudier (v.)	to study
Spécialiser (se) (v.)	to specialize in
Exister (v.)	to exist
Former (v.)	to shape
Pire (adj.)	worse/worst
Méchant (adj.)	mean, evil
Élémentaire (adj.)	simple, basic
Timide (adj.)	shy, timid
Obligatoire (adj.)	mandatory
Laïc (adj.)	secular
Privé (adj.)	private
Maternel (adj.)	maternal
Général (adj.)	general

2. Vérifiez la compréhension du forum (Livre de l'élève, p. 42). Associez ces informations à chacun des témoignages.

a. Pendant longtemps, on m'a appelé « Tête d'Orange ». → Laurent
b. J'ai été colée parce que j'ai fait du copier-coller de Wikipédia. → Ségo
c. Mon meilleur souvenir du lycée, c'est quand j'ai vu mon nom sur la liste des résultats du bac. → Valérie
d. J'ai reçu le premier prix pour ma classe quand j'ai lu un poème de Rimbaud. → Serge
e. J'ai quitté la première fois ma famille pour aller faire du ski. → Stéphanie

3. Voici le verbe. Trouvez le substantif.

a. Respecter → le respect
b. Étudier → l'étude
c. Représenter → la représentation
d. Former → la formation
e. Copier → le copiage
f. Coller → le collage
g. Exister → l'existence

4. Complétez avec les substantifs de l'exercice précédent.

Phrases entendues au lycée

a. Le philosophe Platon a prouvé l'existence de Dieu.
b. Le copiage est interdit pendant l'examen.
c. Le respect des autres est un principe de notre école.
d. L'étude de deux langues étrangères est obligatoire.
e. Les peintres Picasso et Braque ont été les premiers artistes à utiliser la technique du collage.
f. Les artistes contemporains ont changé notre représentation du monde.
g. Avant de devenir écrivain, Marc Levy a eu une formation scientifique.

5. À quel sentiment correspond chacune de ces définitions ?

la méchanceté ; la honte ; la joie ; la colère ; la déception ; la timidité

a. Il a le sentiment d'être humilié. → la honte
b. Il est mécontent, violent. → la colère
c. Elle manque de confiance. → la timidité
d. Il cherche à faire du mal. → la méchanté
e. Elle n'a pas eu ce qu'elle espérait. → la déception
f. Elle est très contente. → la joie

Grammaire

1. Exprimez la restriction. Transformez avec *ne... que*.

Activités

a. Je travaille deux heures par jour.

→ **Je ne travaille que deux heures par jour.**

b. Je suis à cinq minutes de mon travail.

→ Je ne suis qu'à cinq minutes de mon travail.

c. Je fais du sport une fois par semaine.

→ Je ne fais du sport qu'une fois par semaine.

d. Je prends des vacances tous les deux ans.

→ Je ne prends des vacances que tous les deux ans.

e. Je peux la voir une fois par semaine.

→ Je ne peux la voir qu'une fois par semaine.

f. Je réponds par courriel.

→ Je ne réponds que par courriel.

2. Exprimez la restriction. Répondez par la négative.

Loisirs

a. – Tu fais du tennis ? *(squash)*

– Non, je ne fais que du squash.

b. – Au cinéma, elle va voir tous les films ? *(films de science-fiction)*

– Non, elle ne va voir que des films de science-fiction

c. – En été, vous faites de la randonnée ? *(canyoning)*

– Non, nous ne faisons que du canyoning.

d. – En ville, tu te déplaces en roller ? *(à pied)*

– Non, je ne me déplace qu'à pied.

e. – Le soir, il regarde la télévision ? *(DVD)*

– Non, il ne regarde que des DVD.

f. – Tu joues au tarot ? *(poker)*

– Non, je ne joue qu'au poker.

Oral

1. Réécoutez l'interview de Philippe. Vérifiez la compréhension du document. Vrai ou Faux ?

N° 15

	VRAI	FAUX
a. Philippe est étudiant à Sciences Po.	☑	☐
b. Il n'a que 20 heures de cours par semaine et pas de travail personnel.	☐	☑
c. Le restaurant universitaire et la bibliothèque sont situés sur le campus.	☑	☐
d. La bibliothèque est ouverte le week-end.	☐	☑
e. Les examens sont organisés sur le système des ECTS.	☑	☐
f. Pour valider l'année, il faut avoir 50 ECTS.	☐	☑

2. Retrouvez les informations de l'entretien.

N° 16

a. Nombre d'heures de cours : treinte heures

b. Bibliothèque : beaucoup de temps

c. Devoir sur table : chaque semaine

d. Exposé : tous les quinze jours

e. Piscine : le mercredi soir

f. Cinéma : quand il y a un bon film

g. Vacances : après les examens et les résultats

Vocabulaire

1. Apprenez le vocabulaire.

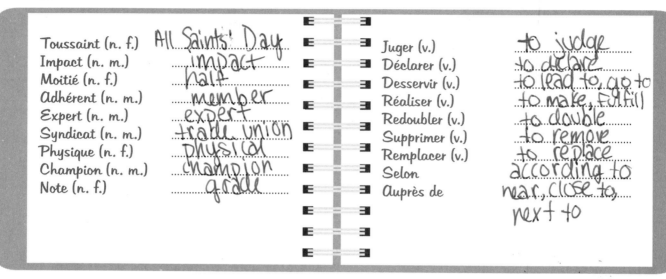

Toussaint (n. f.) All Saints' Day
Impact (n. m.) impact
Moitié (n. f.) half
Adhérent (n. m.) member
Expert (n. m.) expert
Syndicat (n. m.) trade union
Physique (n. f.) physical
Champion (n. m.) champion
Note (n. f.) grade

Juger (v.) to judge
Déclarer (v.) to declare
Desservir (v.) to lead to, go to
Réaliser (v.) to make, fulfill
Redoubler (v.) to double
Supprimer (v.) to remove
Remplacer (v.) to replace
Selon according to
Auprès de near, close to, next to

2. Relisez l'emploi du temps (Livre de l'élève, p. 45). Groupez les disciplines par catégories.

a. Disciplines scientifiques : Maths, physique, SVT

b. Disciplines linguistiques : anglais, allemand

c. Disciplines littéraires : philosophie

d. Disciplines sportives : EPS

3. Exprimez le contraire.

D'accord / Pas d'accord

a. Un résultat négatif → positif

b. Une méthode efficace → inefficace

c. Un système simple → complexe / compliqué

d. Une information complète → incomplète

e. Une formation utile → inutile

f. Des enseignants insatisfaits → satisfaits

4. Trouvez le substantif. Complétez les expressions.

a. Juger → un jugement .... de valeur

b. Déclarer → une déclaration .... de guerre

c. Estimer → une estimation .... de prix

d. Confirmer → une confirmation .... de réservation d'hôtel

e. Remarquer → une remarque .... de bon sens

f. Penser → une pensée .... profonde

?

5. Associez les substantifs de l'exercice 4 avec leur définition.

1. Ne craint pas de dire tout ce qui va avec son idée ou son jugement. → *f. une pensée*
2. Une appréciation sur la valeur des choses. → *c. une estimation*
3. Opinion qui affirme que quelque chose est plus ou moins digne d'estime. → *a. un jugement*
4. Volonté d'arriver à quelque chose. → *b. une déclaration*
5. Pensée qui va de soi. → *e. une remarque*
6. Souhait de poursuivre une négociation. → *f. confirmation*

6. Rapporter des paroles. Complétez en variant les verbes.

Réformer

a. Ils *jugent* que le système n'est pas efficace.
b. Ils *confirment* qu'ils ne participeront pas aux travaux de l'enquête.
c. Ils *estiment* que le résultat sera décevant.
d. Ils *pensent* que l'on n'a pas choisi la bonne méthode.
e. Ils *remarquent* que personne n'est d'accord sur le contenu de la réforme.
f. Ils *déclarent* qu'ils attendent des précisions pour fixer leur position.

Excellent!

100/100

COMPRÉHENSION DE L'ORAL

N° 17

Vous entendez ce message sur votre répondeur. Lisez les questions. Écoutez le document puis répondez aux questions.

	Vincent	Coralie	Lisa
a. Objectifs des messages : – annuler un rendez-vous ? – prendre un rendez-vous ? – changer un rendez-vous ?	prendre un rendez-vous	prendre un rendez-vous	annuler un rendez-vous
b. Pour quelle activité ?	préparer un expo	réviser un examen	préparer un Powerpoi
c. À quel moment est-il/elle disponible ?	mercredi	aujourd'hui	vendredi
d. À quelle heure ?	14h 30	?	de 10h à 15 h
e. Numéro de rappel	06 25 294275	?	06 12 02 89 95

COMPRÉHENSION DES ÉCRITS

COMPRENDRE DES INSTRUCTIONS

PRÉPARER L'AVENIR... Bien choisir son métier !

Trouver sa voie, son métier, c'est une étape importante dans un parcours professionnel. Quelques conseils pour réussir dans cette démarche.

• Réalisez un bilan personnel
Pour confirmer des idées sur soi et prendre conscience de certains traits de personnalité importants qui vous guideront dans le choix de métiers puis de formation. Essayez avec Central Test.

• Définissez vos envies de secteurs puis de métiers
Commencez par définir les secteurs ou domaines d'activités que vous appréciez (artisanat, web, média, tourisme, santé, industrie...). Explorez les domaines que vous aimez bien puis les types de métiers que vous pouvez cibler. Allez surfer sur les « guides métiers ».

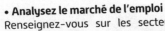

• Analysez le marché de l'emploi
Renseignez-vous sur les secteurs qui embauchent, les nouveaux secteurs en expansion. Évaluez les postes proposés et les niveaux de salaire proposés. Recherchez sur les moteurs de recherche de job (monster.fr, cadremploi.fr...).

• Construisez votre parcours à 1, 2, 5 ans
Mettre en place un parcours concret... Savoir que l'on peut rater une année d'études, revenir en arrière, mais que l'on ne peut pas passer à côté du projet de ses rêves. À vous de prendre en main cette réflexion essentielle.

D'après www.leparisien.fr/étudiant

a. Que faut-il faire pour bien choisir un métier : complétez avec un verbe de l'article.

1. ....Définissez........... vos envies.
2. ....Réaliser........... un bilan.
3. ....Analysez........... le marché.
4. ....Construisez... un parcours professionnel.

b. Cochez les bonnes réponses. Quand on cherche une formation, il faut...

☑ définir les secteurs d'activités qui nous intéressent.
☐ connaître les secteurs qui embauchent.
☐ faire un stage.
☐ mettre en place un parcours de formation.

c. Quels sont les sites conseillés pour...

1. faire un test de personnalité : *Central Test*
2. mieux connaître les métiers : *les " guides métiers "*
3. se renseigner sur le marché de l'emploi : *monster.fr, cadremploi.fr*

d. Associez un conseil à chacun de ces verbes.

1. Prendre conscience *des traits de personnalité*
2. Évaluez *les postes proposés et les niveaux de salaire*
3. Savoir *que l'on peut rater une année des études*

PRODUCTION ÉCRITE

1. RACONTER UNE EXPÉRIENCE

Vous vous souvenez. Vous racontez votre meilleur ou votre pire souvenir d'école. Vous donnez les raisons.
(60 mots minimum)

J'ai quelques bons et quelques mals souvenir d'école. J'étais très triste, fatiguée, et enfermé toujours. Mais, j'aime bien étudier et les gens dans l'école. Je suis heureuse que j'ai fini l'école. Je ne l'aime pas beaucoup. J'espère que l'école devenir meilleur pour les étudiants.

2. REFUSER UNE INVITATION

Vous recevez un message d'une école de formation. Vous remerciez. Vous refusez. Vous dites pourquoi.
Vous posez quelques questions. (60 mots maximum)

Nouveau message

Envoyer Discussion Joindre Adresses Polices Couleurs Enr. brouillon

À :

Objet : Journées portes ouvertes personnalisées

De :

Groupe d'Alembert-Diderot

Architecture, environnement, urbanisme, ces secteurs vous intéressent. Vous avez demandé des informations sur notre école. Nous vous en remercions.
Nous avons le plaisir de vous inviter à une journée portes ouvertes personnalisée. Nous pourrons répondre à vos questions et nous vous ferons visiter le campus. Vous rencontrerez aussi l'équipe de formation.
Merci de confirmer votre présence.

Service communication
Groupe d'Alembert- Diderot

Je vous remercie pour cette invitation. Mais, je ne peux pas aller à votre école. Je ne m'interesse l'architecture, environnement, ou urbanisme. Peut-être vous pouvez traiter autres étudiants qu'ils aimeront ces choses? Je ne suis pas cet étudiant. Comment vous m'aidez avec mes études? Peut-être je considérai.

PRODUCTION ORALE

PROJET PROFESSIONNEL
Quelle est votre profession ? Ou quelles études faites-vous ? Quels sont vos projets actuels ou futurs ?

Unité 3 - Leçon 1 - Chercher du travail

Vocabulaire

1. Apprenez le vocabulaire.

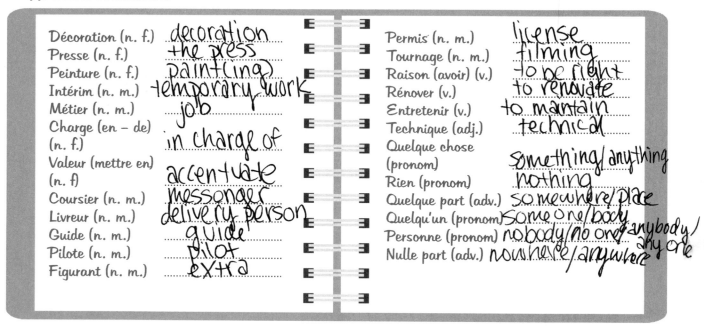

Décoration (n. f.)	decoration
Presse (n. f.)	the press
Peinture (n. f.)	painting
Intérim (n. m.)	temporary work
Métier (n. m.)	job
Charge (en – de) (n. f.)	in charge of
Valeur (mettre en) (n. f)	accentuate
Coursier (n. m.)	messenger
Livreur (n. m.)	delivery person
Guide (n. m.)	guide
Pilote (n. m.)	pilot
Figurant (n. m.)	extra
Permis (n. m.)	license
Tournage (n. m.)	filming
Raison (avoir) (v.)	to be right
Rénover (v.)	to renovate
Entretenir (v.)	to maintain
Technique (adj.)	technical
Quelque chose (pronom)	something/anything
Rien (pronom)	nothing
Quelque part (adv.)	somewhere/place
Quelqu'un (pronom)	someone/body
Personne (pronom)	nobody/no one/anybody/anyone
Nulle part (adv.)	nowhere/anywhere

2. Vérifiez la compréhension de la séquence 27 (Livre de l'élève, p. 50). Cochez la bonne réponse.

a. Qui a des problèmes d'argent ?
❑ Mélanie.   ☒ Greg.

b. L'exposition de Greg…
☒ ne reçoit pas de visites d'acheteurs.
❑ a beaucoup de visiteurs-acheteurs.

c. L'agence d'intérim cherche…
☒ un décorateur.   ❑ un peintre.

d. Greg s'inscrit comme…
❑ peintre d'intérieur.
☒ décorateur d'intérieur.

e. Greg propose de travailler…
❑ seulement près de chez lui.
☒ également loin de chez lui.

3. Caractérisez avec les adjectifs.

performant ; modeste ; compétent ; dynamique ; efficace

Une cadre exemplaire

a. Elle est parfaitement formée pour son poste. Elle est
compétente .

b. Elle a atteint ses objectifs rapidement. Elle est
efficace .

c. Elle obtient d'excellents résultats. Elle est
performante .

d. Elle sait animer et motiver une équipe. Elle est
dynamique .

e. Elle valorise l'équipe ; elle ne se met pas en valeur. Elle est
modeste .

4. Complétez avec les verbes.

proposer ; préparer ; s'occuper de ; organiser ; avoir en charge ; mettre en valeur

a. Il _a en charge_ le développement de la ligne de produits.

b. Il _s'occupe_ de la clientèle.

c. Elle _met en valeur_ le packaging des produits sur le site.

d. Elle _propose_ de nouveaux services.

e. Il _prépare_ la nouvelle campagne de communication.

f. Il _organise_ les réunions pour tester les nouveaux argumentaires.

Grammaire

1. Reliez les deux phrases en utilisant le pronom relatif *qui, que, où.*

Loisirs

a. J'ai lu le dernier livre de Boualem Sansal. Il m'a beaucoup intéressé.

→ *... qui m'a beaucoup intéressé.*

b. Je suis allé au cinéma voir *L'Avenir* avec Isabelle Huppert. Isabelle Huppert est remarquable dans le rôle de la professeure de philosophie.

→ *... qui est remarquable...*

c. J'aime bien l'émission politique *C dans l'air*, je la regarde tous les jours.

→ *... que je regarde...*

d. J'adore la série *Les Revenants*. Je ne la manque jamais.

→ *... que je ne manque...*

e. Je vais souvent me promener à vélo dans la forêt de Saint-Germain. Il n'y a pas beaucoup de monde.

→ *... où il n'y a pas...*

f. Je vais toujours faire du sport dans un club. Je me suis inscrit dans ce club en septembre.

→ *... où je me suis...*

g. Mon ami Philippe écrit dans le journal *Le Monde*. Je lis chaque jour ce journal.

→ *... que je lis...*

2. Complétez avec *qui, que, où.*

La Bretagne

a. La Bretagne est une région ..... *que* ..... les touristes aiment beaucoup.

b. C'est une région ..... *qui* ..... offre des paysages très différents.

c. La côte est belle avec ses paysages sauvages ..... *que* ..... les promeneurs apprécient beaucoup.

d. La forêt de Brocéliande, ... *où* ..... se passent les histoires fantastiques de la tradition celte, s'étend à l'intérieur du pays.

e. Saint-Malo est la ville des aventuriers de la mer ..... *qui* ..... partaient vers Terre-Neuve ou Pondichéry.

f. La Bretagne a été peinte par des artistes ..... *que* ..... le public aime beaucoup : Gauguin, Monet, Signac.

3. Complétez les questions ou les réponses avec les mots de la liste.

quelque chose ; quelqu'un ; quelque part ; quelquefois ; rien ; personne ; nulle part ; jamais

« Pas très positif ! » Au café. Conversation avec un dépressif

a. Tu t'intéresses à ... *quelque chose* ... dans la vie ?
Non, je ne m'intéresse à ... *rien* ... .

b. Tu vas ... *quelque part* ... cet été ?
Non, je ne pars ... *nulle part* ... .

c. Tu vois ... *quelqu'un* ... ce soir ?

quelquefois ; jamais

Non, je ne vois ... *personne* ... .

d. Tu vas ... *quelque part* ... à la campagne, le week-end ?
Non, je n'y vais ... *nulle part* ... .

e. Tu prends ... *quelque chose* ... ?
Non, je ne prends ... *rien* ... .

Oral

1. Écoutez : [k] ou [g] ? Cochez.

N° 18

	[k]	[g]
a. Garçon !		
b. Un café et un gâteau, s'il vous plaît.		
c. Non ! Un chocolat, et une glace.		
d. Non ! Une baguette avec du bacon.		
e. Non ! De la confiture et un croissant.		
f. Quoi alors ? ...		
g. Je ne sais pas... Guidez-moi !		
h. Une crêpe ?		
i. Avec quoi ?		
j. Avec de la confiture de groseilles.		
k. Ou une galette au cumin.		
l. Beurk !		

2. Parlez. Transformez en utilisant *qui, que, où.*

N° 19

a. Je cherche un studio. Il doit être proche de mon travail.

→ *Je cherche un studio qui doit être proche.*

b. J'ai trouvé un site. Il y a beaucoup d'offres sur ce site.

→ *J'ai trouvé un site où il y a beaucoup.*

c. J'ai visité un appartement. Tu vas aimer cet appartement.

→ *J'ai visité un appartement que tu vas aimer.*

d. J'ai vu un studio. Ce studio a une très belle vue.

→ *J'ai vu un studio qui a une très belle vue.*

e. Il est dans la rue Berlioz. Tu connais bien cette rue.

→ *Il est dans la rue Berlioz que tu connais bien.*

f. Il est situé dans un immeuble. Il n'y a pas d'ascenseur.

→ *Il est situé dans un immeuble où il n'y a pas d'ascenseur.*

Vocabulaire

1. Apprenez le vocabulaire.

(annotations manuscrites)

relation

Domaine (n. m.) — estate; domain
Relation (n. f.) — ~~day~~
Congé (n. m.) — time off
Témoin (n. m.) — witness
Exportation (n. f.) — export
Secrétariat (n. m.) — admin office
Accident (n. m.) — accident
Conducteur (n. m.) — driver
Voie (n. f.) — way
Secteur (n. m.) — sector
Salutation (n. f.) — greeting
Radiologue (n. m.) — radiologist
Genou (n. m.) — knee

Formalité (n. f.) — formality
Constat (n. m.) — assessment
Concentrer (se) (v.) — to concentrate
Améliorer (v.) — to improve
Rêver (v.) — to dream
Assister (v.) — to assist
Prier (v.) — to pray
Blesser (v.) — to hurt
Causer (v.) — to cause
Agréer (v.) — to agree
Effet (en) (adv.) — due to
Cordialement (adv.) — warmly
Légèrement (adv.) — lightly

2. Vérifiez la compréhension des documents (Livre de l'élève, p. 52). Attribuez ces informations aux différents auteurs du message.

a. Elle a un problème de genou. → Nadège
b. Il a eu un accident de voiture. → Vincent Richard
c. Elle est témoin à un mariage. → Aurore Lemercier
d. Les formalités ont pris toute la matinée. → Vincent Richard
e. Elle demande à son collègue de la remplacer. → Nadège
f. Le mariage a lieu à Neuchâtel. → Aurore Lemercie
g. Elle doit faire une radio. → Nadège

3. Qu'est-ce qu'ils expriment ? Associez.

a. Désolé, je ne pourrais pas venir. 4
b. C'est très gentil à vous d'avoir pensé à moi. 2
c. Pouvez-vous me donner votre réponse assez rapidement ? 6
d. Croyez que ce n'est vraiment pas de ma faute ! 5
e. J'aimerais vraiment pouvoir compter sur vous ! 1
f. C'est vraiment très bien ce que vous faites ! 3

1. un souhait
2. un remerciement
3. des félicitations
4. un regret
5. une excuse
6. une demande

4. Faire une demande. Complétez avec les verbes : *je voudrais…, j'aimerais…, je souhaiterais…, je serais heureux de…* (plusieurs possibilités).

a. Je souhaiterais te demander un renseignement…
b. Si c'est possible, je voudrais pouvoir partir plus tôt.
c. Quelle chance ! Je serais heureux de t'accompagner.
d. Mon fils passe sa thèse j' aimerais bien pouvoir y assister.
e. Je voudrais prendre un rendez-vous pour la semaine prochaine.
f. Je souhaiterais te voir le plus vite possible.

5. EXPRIMER UN SENTIMENT. Faites correspondre.

a. Tu es le premier dans la famille à réussir cet examen. 4
b. Mon équipe marche bien. 6 5
c. Ce voyage, j'en rêvais. 1
d. Ton projet de balade me donne des forces. 6
e. Être ton témoin à ton mariage ! Quel bonheur ! 2
f. Non, je ne pourrais pas jouer avec vous samedi. 3

1. Je suis très content de le faire.
2. Je suis vraiment très heureuse !
3. Je suis désolé.
4. Je suis fière de toi !
5. Je suis satisfait de ses performances.
6. Je suis pleine d'énergie.

6. Satisfait ou insatisfait ? Cochez.

Réactions d'après match

	Satisfait	Insatisfait
a. Je crois avoir répondu présent.	X	
b. Rien n'a fonctionné comme je le souhaitais.		X
c. On a bien joué le coup.	X	
d. On fait des progrès.	X	
e. C'est l'engagement qui a manqué.		X
f. On a perdu trop de ballons.		X

Oral

1. Écoutez les trois coups de téléphone. Relevez les expressions qui indiquent :
N° 20

• **Coup de téléphone 1**

a. Une demande : Tu veux que je te passe Madame Martinez ?

b. Une explication : J'ai un petit problème de santé.

c. Un remerciement : Je vous remercie de votre compréhension.

d. Un conseil : Reposez-vous.

• **Coup de téléphone 2**

e. Une explication : J'aimerais changer, faire partie de l'équipe de l'après-midi.

• **Coup de téléphone 3**

f. Une demande d'information : Qu'est-ce qu'il se passe ?

g. L'expression d'un vœu : Bonne chance à votre fils !

2. Dites ce qu'ils expriment avec les mots de la liste.
N° 21

un souhait ; un remerciement ; une demande ; un regret ; un compliment ; une excuse

a. une demande
b. un regret
c. une excuse
d. un remerciement
e. un souhait
f. un compliment

Vocabulaire

1. Apprenez le vocabulaire.

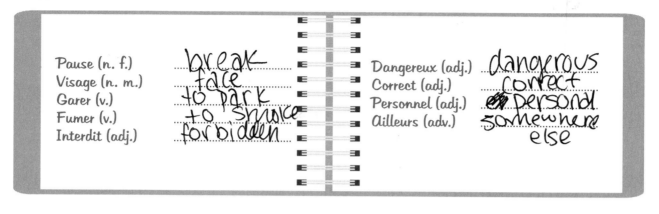

Pause (n. f.) — *break*
Visage (n. m.) — *face*
Garer (v.) — *to park*
Fumer (v.) — *to smoke*
Interdit (adj.) — *forbidden*

Dangereux (adj.) — *dangerous*
Correct (adj.) — *correct*
Personnel (adj.) — *personal*
Ailleurs (adv.) — *somewhere else*

2. Vérifiez la compréhension de la séquence 28 (Livre de l'élève, p. 54). Retrouvez :
a. Ce qui est interdit : *Garer sa voiture à sur une place réservée.*
b. Ce qui est dangereux : *Mettre un escabeau devant un couloir.*
c. Ce qui empêche de s'entendre : *Faire du bruit en travaillant.*

3. Donnez la signification de ces panneaux. Associez.
a. Interdit de fumer. *6*
b. Interdit de traverser. *4*
c. Interdit de téléphoner avec son portable. *2*
d. Tournez à gauche. *1*
e. Allez tout droit. *5*
f. Roulez au moins à 30 km/h. *3*

4. C'est interdit ou c'est autorisé ? Répondez à l'aide des mots de la liste.
c'est interdit ; c'est autorisé ; c'est déconseillé ; c'est toléré
Promenades
a. Vous pouvez vous promener dans le parc, il n'y a pas de problème. → *c'est autorisé / c'est toléré*
b. Voici un chemin qui est en principe interdit mais ils ne disent rien. → *c'est toléré*
c. Ce chemin, le long de la mer, vous avez tout à fait le droit de le prendre. → *c'est autorisé*
d. Ah ! Là, vous ne pouvez pas entrer. Propriété privée. → *c'est interdit*
e. Vous pouvez y aller si vous voulez, mais vous prenez un risque. → *c'est déconseillé*
f. Respectez le panneau et allez passer ailleurs. Prenez un autre chemin. → *c'est interdit*

5. Complétez avec un adjectif.
dangereux ; nécessaire ; déconseillé ; interdit ; obligatoire
a. Il est *interdit* de fumer au bureau.
b. Il est *dangereux* de conduire vite quand il pleut.
c. Il est *obligatoire* de porter la ceinture de sécurité en voiture.
d. Il est *nécessaire* de boire de l'eau en conduisant quand il fait chaud.
e. Il est *déconseillé* de conduire trop longtemps sans faire de pause.

Grammaire

→ le subjonctif !

1. Donnez un ordre.

Respecter l'ordre – « Il faut que vous... »

a. Confirmer sa présence → **Il faut que vous confirmiez votre présence.**

b. Contacter ses collègues → *Il faut que vous contactez ses collègues*

c. Accepter le règlement intérieur → *Il faut que vous acceptez le règlement intérieur.*

d. Participer aux réunions → *Il faut que vous participiez aux réunions.*

e. Arriver à l'heure → *Il faut que vous arriviez à l'heure.*

f. Respecter la hiérarchie → *Il faut que vous respectiez la hiérarchie.*

2. Donnez un conseil.

Débutant en informatique – « Il faut que tu... »

a. Composer le code → **Il faut que tu composes le code.**

b. Se connecter au réseau → *Il faut que tu te connectes au réseau.*

c. Ouvrir sa boîte mail → *Il faut que tu ouvres ta boîte mail.*

d. Lire ses messages → *Il faut que tu lis tes messages.*

e. Répondre aux messages urgents → *Il faut que tu répondes aux messages urgents.*

f. Enregistrer les fichiers joints → *Il faut que tu enregistres les fichiers joints.*

3. Exprimez un souhait.

a. J'aimerais que tu (venir) *viennes* me voir.

b. Je voudrais que nous (passer) *passions* quelques jours ensemble.

c. Je souhaiterais que nous (faire) *fassions* une grande promenade sur le lac.

d. Je voudrais que tu (découvrir) *découvres* les points de vue magnifiques.

e. J'aimerais aussi que nous (écouter) *écoutions* ces musiques que nous aimons.

f. Je souhaiterais que nous (aller) *allions* rendre visite à Sophie qui habite à une heure de chez moi.

4. Mettez les verbes au subjonctif. Complétez.

Loisirs

Il faut que tu (jouer) *joues* au tennis ; qu'elle (lire) *lise* la nouvelle BD ; que nous (s'amuser) *nous amusions* avec les enfants ; qu'ils (voir) *voient* leurs copains ; que je (prendre) *prenne* le temps d'aller chez le coiffeur.

Culture

Je voudrais que tu (regarder) *regardes* cette série et que nous en (discuter) *discutions* que vous (aller) *alliez* voir l'exposition ; que vous (prendre) *preniez* des places pour le concert ; que les enfants (découvrir) *découvrent* *Demain*, le nouveau film de Cyril Dion et Mélanie Laurent.

Oral

1. Écoutez et cochez.

N° 22

	[f]	[v]
a. Tu refuses de venir.		
b. Il faut vérifier.		
c. Tu ne vas pas refuser.		
d. Il faut avouer.		
e. Tout peut arriver.		
f. Laisser faire et voir.		

2. DISTINGUER L'INDICATIF ET LE SUBJONCTIF. Transformez.

N° 23

a. Nous devons avoir l'autorisation.
→ **Il faut que** *nous ayons l'autorisation.*

b. Nous devons être attentifs.
→ *Il faut que nous soyons attentifs.*

c. Tu dois venir me voir.
→ *Il faut que tu viennes me voir.*

d. Elle doit finir son travail.
→ *Il faut qu'elle finisse son travail.*

e. Ils doivent dire la vérité.
→ *Il faut qu'ils disent la vérité.*

f. Vous devez savoir.
→ *Il faut que vous sachiez.*

3. DONNER DES ORDRES. Transformez.

N° 24

a. Refusez ! → **Il faut que vous refusiez.**

b. Confirme ! → *Il faut que tu confirmes* ~~vous confirmiez~~

c. Annulons ! → *Il faut que nous annulions.*

d. Attendez ! → *Il faut que vous attendiez.*

e. Arrête ! → *Il faut que tu arrêtes.*

f. Faites votre choix ! → *Il faut que vous fassiez votre choix.*

Vocabulaire

1. Apprenez le vocabulaire.

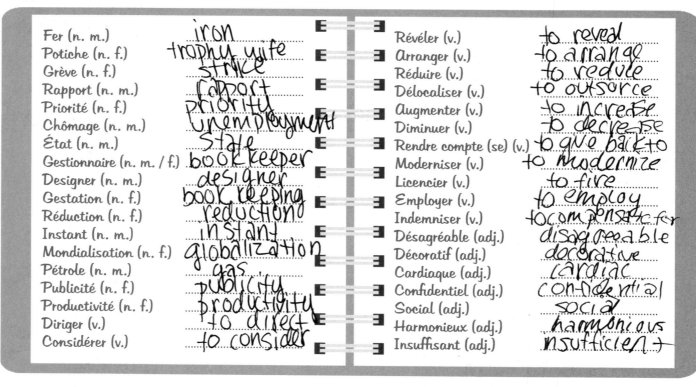

Fer (n. m.) — iron
Potiche (n. f.) — trophy wife
Grève (n. f.) — strike
Rapport (n. m.) — rapport
Priorité (n. f.) — priority
Chômage (n. m.) — unemployment state
État (n. m.) —
Gestionnaire (n. m. / f.) — bookkeeper
Designer (n. m.) — designer
Gestation (n. f.) — bookkeeping
Réduction (n. f.) — reduction
Instant (n. m.) — instant
Mondialisation (n. f.) — globalization
Pétrole (n. m.) — gas
Publicité (n. f.) — publicity
Productivité (n. f.) — productivity
Diriger (v.) — to direct
Considérer (v.) — to consider

Révéler (v.) — to reveal
Arranger (v.) — to arrange
Réduire (v.) — to reduce
Délocaliser (v.) — to outsource
Augmenter (v.) — to increase
Diminuer (v.) — to decrease
Rendre compte (se) (v.) — to give back to
Moderniser (v.) — to modernize
Licencier (v.) — to fire
Employer (v.) — to employ
Indemniser (v.) — to compensate for
Désagréable (adj.) — disagreeable
Décoratif (adj.) — decorative
Cardiaque (adj.) — cardiac
Confidentiel (adj.) — confidential
Social (adj.) — social
Harmonieux (adj.) — harmonious
Insuffisant (adj.) — insufficient

2. Vérifiez la compréhension de la présentation et du dialogue du film *Potiche* (Livre de l'élève, p. 56).

a. Qui est qui ? Retrouvez les informations dans la présentation du film.

1. Robert Pujol : **un chef d'entreprise**

2. Suzanne Pujol : la femme, sa femme

3. Joëlle Pujol : leur fille, travaille à la gestion de l'entreprise

4. Fils Pujol : leur fils, designer

b. Lisez le dialogue et associez ces informations à chacun des personnages.

1. Qui a entre les mains un rapport qui propose des idées formidables sur l'avenir de l'entreprise ?
→ Joëlle Pujol

2. Qui défend le climat social de l'entreprise ?
→ Mme Pujol

3. Qui souhaite une modernisation audacieuse pour l'avenir ?
→ Joëlle Pujol

4. Qui défend le maintien de l'emploi et de l'entreprise dans la région ?
→ Mme Pujol

3. Trouvez le substantif. Complétez l'expression.

Gestion d'entreprise...

a. Augmenter → **l'augmentation** des salaires

b. Diminuer → la diminution des charges

c. Réduire → la réduction des frais

d. Délocaliser → la délocalisation de l'entreprise

e. Moderniser → la modernisation de la production

f. Indemniser → l'indemnisation du chômage

4. Remplacez les mots soulignés par un adjectif de la liste.

permanent ; insuffisant ; confidentiel ; collaboratif ; harmonieux ; social

a. Un rapport <u>secret</u> → *confidentiel*

b. Un plan <u>de réduction du personnel</u> → *social*

c. Des résultats <u>décevants</u> → *insuffisants*

d. Un climat social <u>calme</u> → *harmonieux*

e. Un dialogue <u>continu</u> → *permanent*

f. Une gestion <u>qui fait participer les représentants du personnel</u> → *collaboratif collaborative (f)*

5. Trouvez le contraire. Associez.

a. Consommateur *4*
b. Chômeur *5 6*
c. Vendeur *1*
d. Cadre *5*
e. Technicien *2*
f. Patron *3*

1. Client
2. Ingénieur
3. Salarié
4. Producteur
5. Employé
6. Actif

6. Qu'est-ce qu'il fait ? Trouvez l'action correspondant aux métiers.

a. Vendeur → *Il vend.*

b. Chercheur → *Il cherche.*

c. Agriculteur → *Il cultive*

d. Acteur → *Il joue.*

e. Traducteur → *Il traduit.*

f. Cuisinier → *Il cuisine.*

7. Définissez les métiers en utilisant les verbes de la liste.

dessiner ; traduire ; concevoir ; faire ; soigner ; assister

a. Boulanger → *Il fait du pain.*

b. Médecin → *Il soigne les gens.*

c. Architecte → *Il dessine des plans.*

d. Graphiste → *Il conçoit des objets d'édition et de communication.*

e. Secrétaire → *Il assiste son chef.*

f. Interprète → *Il traduit en temps réel un discours prononcé.*

8. Trouvez les secteurs d'emploi correspondant aux besoins suivants. Aidez-vous du document

Les secteurs où on embauchera d'ici à 2022 (Livre de l'élève, p. 57).

a. Des moyens de déplacement propres → *automobile*

b. Des loisirs de plus en plus voyageurs et lointains → *transporte et tourisme*

c. Des bâtiments éco-responsables → *bâtiments, travaux publics*

d. Une population de plus en plus formée → *enseignement, formation*

e. Une nécessité de l'innovation → *chercheurs, ingénieurs, et cadres de l'industrie*

f. Un allongement de la vie humaine → *services aux particuliers*

9. Imaginez quels nouveaux besoins (exercice 8) pourraient couvrir ces entreprises.

a. L'Oréal → *une nécessité de l'innovation*

b. EDF / GDF → *des bâtiments éco-responsables, une nécessité de l'innovation*

c. Sanofi → *un allongement de la vie humaine*

d. Danone → *une nécessité de l'innovation*

e. Airbus → *des loisirs de plus en plus voyageurs et lointains*

f. Carrefour → *une nécessité de l'innovation*

Vocabulaire

1. Apprenez le vocabulaire.

Vétérinaire (n. m. / f.) — *veterinarian*
Animal (n. m.) — *animal*
Initiative (n. f.) — *initiative*
Sauvegarde (n. f.) — *protection*
Tortue (n. f.) — *tortoise*

Protéger (v.) — *to protect*
Menacer (v.) — *to threaten*
Courant (adj.) — *common*
Sincère (adj.) — *honest*

2. Vérifiez la compréhension du Point infos (Livre de l'élève, p. 58). Dites si ces informations sont vraies ou fausses.

	VRAI	FAUX
a. Il y a des tableaux d'affichage pour les petits boulots à l'université et chez les commerçants.	☒	☐
b. Les sites d'entreprise, d'associations, d'agences publient leurs offres d'emploi sur internet.	☒	☐
c. Il y a des CV qui se présentent sous forme de questionnaires sur internet.	☒	☐
d. On peut joindre son CV et sa lettre de motivation à un courriel.	☒	☐
e. On n'envoie plus rien par la poste.	☐	☒

3. Regroupez les informations du CV d'Alessandra Tizzoni.

a. État civil : *Alessandra Tizzoni, 26 ans, célibataire*

b. Études : *études supérieures auprès de l'Université pour étrangers de Sienne; licence en langue et culture italienne; maîtrise* aussi un stage de six mois

c. Compétences professionnelles : *enseignement de l'Italien aux migrants*

d. Autres qualifications : *langues → Français : bilingue; Anglais : courant; Espagnol : courant, Word, Excel, Indesign et Photoship*

4. Remettez la lettre de motivation suivante dans l'ordre.

a. Madame, Monsieur,

b. J'aimerais beaucoup rejoindre pour ce stage l'une de vos équipes qui s'occupe de faire connaître vos produits à l'international.

c. J'ai eu l'occasion de visiter vos laboratoires lors d'une visite de classe. J'ai été particulièrement impressionné par vos recherches.

d. Dans l'attente d'une réponse favorable, je vous prie d'agréer, Madame, Monsieur, mes meilleures salutations.

e. Je fais actuellement des études de langue et de commerce international à l'université de Lyon 2 et je dois faire un stage de trois mois dans une entreprise à vocation exportatrice.

f. J'apprécie votre discours sur la beauté naturelle. J'ai le goût des voyages, j'ai séjourné dans de nombreux pays à l'étranger et je suis très ouvert aux cultures étrangères.

g. Je suis particulièrement intéressé par la nouvelle cosmétique qui mêle bien-être physique et esthétique.

h. Pierre Feliziani

Ordre : a, e, g, c, b, f, d, h

Oral

1. Écoutez. Léa cherche du travail. Elle téléphone à une agence d'intérim. Complétez sa fiche.

N° 25

NOM : Delsol   PRÉNOM : Léa

Adresse : 2 rue du Soleil 75019 PARIS

Téléphone : 07 76 62 94 86

Courriel : lea.delsol@sfr.fr

Âge : 23 ans

☐ Marié(e) / ☐ Pacsé(e) / ☑ Célibataire

Formation : BTS de technicienne supérieure en commerce international

Langues : anglais, espagnol (B1), chinois (A2 à l'oral)

Centres d'intérêt : les sports de nature, les arts martiaux, le cinéma

1001100
super!

COMPRÉHENSION DES ÉCRITS

COMPRENDRE DES CONSEILS. **Lisez cet article et répondez aux questions.**

ENTRETIEN D'EMBAUCHE... Ce qui est permis et ce qui n'est pas permis

Suis-je autorisé à répondre à toutes les questions ? Est-ce qu'il est normal que l'on me fasse passer un test sans me payer ? Examen des pratiques autorisées et interdites...

> **Mon interlocuteur veut voir mes diplômes.**

C'est normal. Les entreprises veulent contrôler les informations, vérifier que vous avez bien les diplômes que vous annoncez. Ils peuvent exiger de voir les originaux. Attention ! Si vous avez menti... et si vous avez été retenu pour cet emploi, vous pouvez être attaqué.

> **Je suis une femme, il veut savoir si j'ai le projet d'avoir des enfants.**

C'est totalement interdit comme demander si vous êtes enceinte ou demander quelles sont vos orientations sexuelles, votre religion, vos opinions politiques... C'est un motif pour porter plainte pour discrimination.

> **On me fait passer un test qui est non rémunéré.**

C'est autorisé. On peut vous faire passer un test de quelques heures et même d'une journée pour vérifier vos savoir-faire :

saisir une lettre pour une secrétaire, simuler une vente pour une vendeuse...

> **On se renseigne auprès de votre ancien employeur.**

La loi l'autorise à le contacter si c'est nécessaire pour vous évaluer. Le Code du travail indique qu'il est « souhaitable » de vous en avertir.

a. Dites si c'est autorisé ou interdit.

	Autorisé	Interdit
Demander à voir les diplômes	X	
Poser des questions sur la vie personnelle		X
Faire passer un test non payé	X	
Se renseigner auprès d'un ancien employeur	X	

[annotation manuscrite : On ? non vous ?]

b. Quand pouvez-vous porter plainte et pour quel motif ?

Vous pouvez porter plainte pour discrimination s'il demander des questions personelles.

c. Qui peut vous attaquer et pourquoi ?

Vous pouvez attaquer l'entreprise quand vous avez retenu pour cet emploi

d. Quand est-il souhaitable que l'on vous avertisse ?

Quand vous vous renseignez auprès de votre ancien employeur.

COMPRÉHENSION DE L'ORAL

Vous écoutez la radio. Lisez les questions. Écoutez le document puis répondez aux questions.

N° 26 • **Information 1**

a. Complétez la carte d'identité de l'émission.

Nom de l'émission : *Ça se passe aujourd'hui !*

Nom de l'invitée : *Malika*

Diplôme : *diplôme de langues étrangères appliquées*

Profession : *import-export*

Caractéristiques du métier : *être en contact avec une clientèle étrangère*

b. Malika est-elle contente de son métier. Quels sont les mots qu'elle utilise pour le dire ?

....

• Information 2
Complétez.

Nom de l'entreprise : .... JMLab

Situation géographique : .... Saint-étienne

Spécialité : .... le son

Nombre d'employés : 400

Caractéristiques des produits : très haute technologie et esthétique

PRODUCTION ÉCRITE

RÉAGIR À UN MESSAGE

Nouveau message

À :

Objet : Forum Entre nous

De : theo@gmail.com   Signature : Aucune

Bonjour à toutes et à tous !

Le forum « Entre nous » fonctionne à nouveau. J'en suis le nouvel animateur. Merci de vous inscrire, de mettre votre photo, de vous raconter et de raconter ce que vous aimez faire. On pourra organiser des activités qui plaisent à tout le monde.

Merci
Théo

Vous répondez à Théo. Vous écrivez une présentation personnelle ; vous dites quelle est votre activité préférée et pourquoi vous aimez cette activité que vous souhaitez partager et faire partager. (60 mots minimum)

Bonjour Théo!

Moi, j'aime les métiers créatifs. Je pense que « Entre nous » sera parfait pour moi, et je souhaiterais parfait pour « Entre nous »! J'aimerais travailler en équipe et partager au travail collaboratif. Je vous remercie pour le courriel.

merci,
Véro

PRODUCTION ORALE

PARLER DE SON TRAVAIL
Décrivez votre travail. Dites pourquoi vous l'avez choisi. Dites ce que vous aimez dans ce travail et aussi ce que vous n'aimez pas.

Unité 4 - Leçon 1 - Annoncer un évènement

Vocabulaire

1. Apprenez le vocabulaire.

Marché (n. m.)	*market*
Abribus (n. m.)	*bus shelter*
Aéroport (n. m.)	*airport*
Manifestant (n. m.)	*demonstrator*
Assemblée (n. f.)	*meeting*
Lune (n. f.)	*moon*
Taureau (n. m.)	*bull*
Fait divers (n. m.)	*fast news*
Siège (n. m.)	*seat*
Catastrophe (n. f.)	*disaster*
Bloquer (v.)	*obstruct*
Manifester (v.)	*protest*
Élire (v.)	*elect*
Voter (v.)	*vote*
Rétablir (v.)	*re-establish*
Transférer (v.)	*transfer*
Dépendre (v.)	*depend*
Diplomatique (adj.)	*diplomatic*
Ravi (adj.)	*thrilled*
Contraire (au) (adv.)	*on the contrary*

2. Vérifiez la compréhension de la page internet (Livre de l'élève, p. 64). Classez chaque information dans une rubrique.

a. Politique : *La nouvelle carte des régions a été votée*

b. Faits divers : *Deux spectateurs ont été blessés*

c. Sport : *L'équipe de France a été battue.*

d. Culture : *Le film Dheepan a été élu Palmed'Or*

e. International : *Les relations diplomatiques...*

f. Économie : *Le marché des abribus de Londres*

g. Sciences : *Un village international sera construit sur la Lune.*

3. Faites des titres avec ces phrases. Transformez les verbes en substantifs.

a. La nouvelle carte des régions a été votée.
→ **Vote de la nouvelle carte des régions**

b. Une route a été bloquée par les manifestants.
→ *Blocage d'une route par les manifestants*

c. Un village international sera construit sur la Lune.
→ *Construction d'un village international sur la Lune.*

d. Les relations diplomatiques entre Cuba et les USA ont été rétablies.
→ *Rétablissement des relations diplomatiques entre Cuba et les USA*

e. L'équipe de France a été battue par les All Blacks.
→ *Défaite de l'équipe de France face aux All Blacks*

f. 15.000 abribus JCDecaux seront bientôt installés à Londres.
→ *Installation de 15 000 abribus JCDecaux à Londres.*

4. DES VERBES AVEC UN AUTRE EMPLOI. Complétez.
gagner ; blesser ; bloquer ; élire ; battre ; manifester

a. Les syndicats *bloquent* les négociations. Le gouvernement est obligé de revoir son texte.

b. Cette compagnie aérienne *manifeste* son intérêt pour les avions Airbus. Elle va en acheter 50.

c. L'entreprise *gagne* du terrain sur le marché chinois. Elle a vendu deux fois plus.

d. Ce projet est mal parti, il *bat* de l'aile.

e. Le directeur a prononcé des paroles qui ont *blessé* les employés. Ces derniers vont se mettre en grève.

f. Notre association a été *élue* meilleure association pour son action à l'école.

5. Vérifiez la compréhension de la séquence 29 (Livre de l'élève, p. 65). À propos du projet de transfert de Florial, qui prononce ces phrases ?

a. « C'est juste un projet ?! » → *Ludo*

b. « C'est une catastrophe ! » → *Ludo*

c. « C'est génial ! » → *Li-Na*

d. « C'est ton avis, pas le mien ! » → *Ludo*

e. « Je suis ravi... » → *Jean Louis*

6. Réagissez. Complétez ces réactions avec l'une des expressions ci-dessus (exercice 5).

a. Ça y est, tu as réussi, *c'est génial* !

b. J'ai tout perdu dans cette affaire, *c'est une catastrophe*

c. Bon, il a été refusé mais il n'y a pas mort d'homme. *C'est juste un projet*. On le refera.

d. *Je suis ravi* d'apprendre que vous acceptez ma proposition.

e. Ah! Toi, tu trouves que ce n'est pas important ! *C'est ton avis* eh bien *pas le mien* !

Grammaire

1. Transformez ces titres en commençant par les mots en gras.

a. L'équipe remporte **la coupe**.
→ *La coupe est remportée par l'équipe.*

b. L'entreprise gagne **le marché**.
→ *Le marché est gagné par l'entreprise.*

c. L'actrice reçoit **l'Oscar pour la meilleure interprétation**.
→ *L'Oscar pour la meilleure interprétation est reçu par l'actrice.*

d. Les syndicats signent **l'accord**.
→ *L'accord est signé par les syndicats.*

e. Le maire inaugure **la nouvelle médiathèque**.
→ *La nouvelle médiathèque est inaugurée par le maire.*

f. L'équipe de chercheurs découvre **un nouveau médicament**.
→ *Un nouveau médicament est ~~découverte~~ découvert par l'équipe de chercheurs.*

2. Transformez ces phrases en commençant par les mots en gras.

Spectacle de fin d'année

a. Le professeur prépare bien **le spectacle**.
→ *Le spectacle est bien préparé par le prof.*

b. Les étudiants jouent très bien **la pièce**.
→ *La pièce est jouée très bien par les étudiants.*

c. Rose et David interprètent magnifiquement **la déclaration d'amour du IIIᵉ acte**.
→ *La déclaration d'amour du IIIe acte est magnifiquement interprétée par rose david.*

d. Les spectateurs applaudissent **la pièce**.
→ *La pièce est applaudie par les spectateurs.*

e. Les étudiants-acteurs saluent **les spectateurs**.
→ *Les spectateurs sont salués par les étudiants-acteurs.*

f. Le professeur remercie **les étudiants**.
→ *Les étudiants sont remerciés par le prof.*

3. Transformez les phrases et accordez les participes passés.

a. Sylvie et Louis **nous** ont invités.
→ **Nous** avons été invités par Sylvie et Louis.

b. Sylvie **m'**a félicité pour ma promotion.
→ *J'ai été félicité pour ma promotion par Sylvie.*

c. Le repas **nous** a ravis.
→ *Nous avons été ravis par le repas.*

d. Sylvie et Louis **vous** inviteront le mois prochain.
→ *Vous serez invités par Sylvie et Louis le mois prochain.*

e. Ils **vous** surprendront.
→ *Vous serez supris par eux.*

4. Accordez les participes passés.

Faits divers

a. Vol | Les policiers ont (enquêter) *enquêté*

b. Panne | Les voyageurs sont (rentrer) *rentrés* à pied.

c. Accident | L'assurance a (indemniser) *indemnisé* les victimes.

d. Feu | Les flammes se sont (arrêter) *arrêtées* au premier étage.

e. Pluie | La route a été (fermer) *fermée*

f. Banlieue | Des voitures ont été (brûler) *brûlées*

5. Accordez les participes passés avec *avoir*.

a. Les courriels, je les ai (envoyer) *envoyés* moi-même.

b. Les adresses, je les ai toutes (vérifier) *vérifiées*

c. La liste, elle l'a (faire) *faite* il y a longtemps.

d. L'invitation, elle l'a (relire) *relue*

e. Le logo, le graphiste l'a (retravailler) *retravaillé*

f. Les collaborateurs, on les a tous (prévenir) *prévenus*

Oral

1. Répondez comme dans l'exemple.

N° 27

a. Vous avez compris la leçon ?
→ **Je l'ai comprise.**

b. Vous ~~avez compris la grammaire ?~~ *→ Je l'ai apprise*

c. ~~Vous avez découvert l'expression ?~~
→ *Je l'ai découverte.*

d. Elle a produit les fiches ?
→ *Elle les a produites.*

e. Il a écrit les questions ?
→ *Il les a écrites.*

→ oops

Vocabulaire

1. Apprenez le vocabulaire.

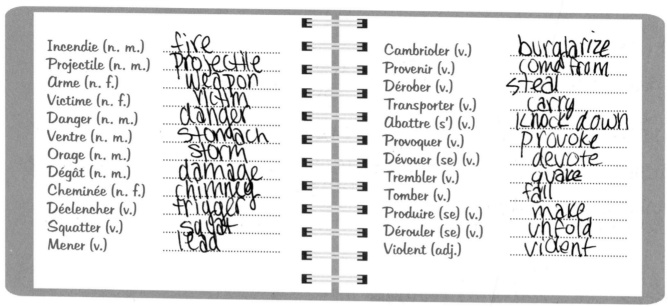

Incendie (n. m.)	*fire*
Projectile (n. m.)	*Projectile*
Arme (n. f.)	*weapon*
Victime (n. f.)	*victim*
Danger (n. m.)	*danger*
Ventre (n. m.)	*stomach*
Orage (n. m.)	*storm*
Dégât (n. m.)	*damage*
Cheminée (n. f.)	*chimney*
Déclencher (v.)	*trigger*
Squatter (v.)	*squat*
Mener (v.)	*lead*

Cambrioler (v.)	*burglarize*
Provenir (v.)	*come from*
Dérober (v.)	*steal*
Transporter (v.)	*carry*
Abattre (s') (v.)	*knock down*
Provoquer (v.)	*provoke*
Dévouer (se) (v.)	*devote*
Trembler (v.)	*quake*
Tomber (v.)	*fall*
Produire (se) (v.)	*make*
Dérouler (se) (v.)	*unfold*
Violent (adj.)	*violent*

2. Vérifiez la compréhension des faits divers (Livre de l'élève, p. 66).
Associez un fait divers à chacun des lieux.

a. Montréal : Un homme a été blessé

b. Départements du Sud-Est : violents orages

c. Pau : Incendie dans une maison squattée

d. sud-est de la France : La terre a tremblé

e. Fontainebleau : Vol d'une quinzaine d'œuvres orientales

3. Transformez le verbe en gras en substantif et commencez la phrase par le substantif.

Il s'en passe des choses !

a. Un incendie s'est **déclenché** dans une maison squattée. → déclenchement d'un incendie

b. Le château de Fontainebleau a été **cambriolé**. → Cambriolage au...

c. Une banque a été **attaquée** par trois hommes armés. → attaque d'une banque

d. De violentes pluies se sont **abattues** dans le Gard. → violentes chutes de pluie

e. La terre a **tremblé** dans le Sud-Est. → tremblement de terre

4. Associez le mot et sa définition.

un dégât ; un accident ; un meurtre ; une catastrophe ; un danger ; une victime

a. Il a tué quelqu'un. Il a commis un meurtre

b. Un inconnu a tiré sur la foule avec un fusil. Il a fait trois victimes

c. L'incendie a tout détruit. Il a laissé de gros dégâts

d. Un tueur en série s'est échappé de prison. C'est un danger

e. L'accident du ferry a fait beaucoup de victimes. C'est une catastrophe

f. Ça arrive par hasard et ça laisse des blessés ou des morts. C'est un accident

5. Avec les mots suivants, formez un adjectif et complétez les expressions.

a. meurtre → Un été .... *meurtrier*

b. accident → un décès .... *accidentel*

c. danger → une route .... *dangereuse*

d. catastrophe → une saison .... *catastrophique*

e. orage → une réunion .... *orageuse*

f. menace → des propos .... *menaçants*

6. Complétez avec un verbe.

Dangers

tomber ; trembler ; menacer ; déclencher ; provoquer ; abattre (s')

a. Il a .... *menacé* .... la commerçante avec son arme ; elle lui a remis l'argent de la caisse.

b. L'arbre .... *s'est abattu* .... sur la route ; la voiture a été accidentée.

c. La foudre .... *est tombée* .... sur la maison qui a en partie brûlé.

d. Le feu de cheminée .... *a provoqué* .... un incendie.

e. Il faisait du ski hors piste ; il .... *a déclenché* .... une avalanche.

f. Quand il a vu deux hommes armés entrer chez lui, il s'est mis à .... *trembler* .... de peur.

7. Raconter un évènement. Voici le récit. Posez des questions.

a. – *Qu'est-ce qui s'est passé* .... ?
– Je suis tombé en faisant une balade à vélo.

b. – *Quand est-ce que ça a eu lieu* .... ?
– Hier, après-midi.

c. – *Où est-ce que ça a eu lieu* .... ?
– Le long du canal.

d. – *Qu'est-ce qui vous est arrivé ?* .... ?
– Je me suis cassé la jambe.

e. – *On vous a soigné ?* .... ?
– Oui, à l'hôpital.

soigner → to take care of it

Oral

1. Écoutez le récit d'un fait divers et retrouvez les informations suivantes.

N° 28

a. Quoi : *sauver un jeune enfant*

b. Quand : *mercredi vers 18h*

c. Où : *métro Château-Rouge dans le 18e à Paris*

d. Qui : *des policiers*

e. Pourquoi : *pour cause de gourmandise*

f. Comment : *le policier connaissait la manière*

Vocabulaire

1. Apprenez le vocabulaire.

Décorateur (n. m.) *decorator*
Championnat (n. m.) *championship*
Poulpe (n. m.) *octopus?*
Autoriser (v.) *authorize*
Affirmer (v.) *can confirm*

Vieillir (v.) *grow old*
Rajeunir (v.) *rejuvenate*
Impossible (adj.) *impossible*
Probablement (adv.) *probably*

2. Vérifiez la compréhension de la séquence 30 (Livre de l'élève, p. 68). Répondez aux questions.

a. Qui a enlevé la photo de Catherine Deneuve ?
Greg (le décorateur)

b. Où est accrochée cette photo ?
dans l'entrée ; à l'accueil

c. Quand a-t-elle été vue pour la dernière fois ?
le soir + LA VEILLE → mot important

d. Qui a pu voler la photo ?
Un voleur ou un fan ou un voleur fan de Catherine Deneuve.

3. Complétez avec les expressions de la liste.
c'est pas sûr ; c'est sûr ; c'est probable ; c'est impossible ; peut-être ; c'est improbable

a. – Tu vas pouvoir venir à la soirée ?
– Je ne sais pas, peut-être ça va être difficile.
b. C'est sûr je sais qu'il a le code.
c. Il a vraiment beaucoup de travail, c'est pas sûr qu'il puisse venir.
d. Qu'il accepte, avec elle, non, c'est improbable il n'y a aucune chance.
e. Eh bien moi je te dis qu'il y a une forte chance que c'est probable .
f. Avec toi, c'est impossible d'être sérieux.

4. Qu'est-ce qu'il fait quand il dit... ?
il révèle ; il interdit ; il refuse ; il souligne ; il signale ; il autorise

a. « Pas question, c'est non et c'est non ! » → il refuse
b. « D'accord, tu y vas mais tu ne rentres pas trop tard. » → il autorise
c. « Eh bien, que ça vous plaise ou pas, c'est ça la vérité ! » → il révèle
d. « Attention ! Vous avez oublié ce détail dans votre discours. » → ~~il souligne~~ il signale
e. « Je voudrais attirer votre attention sur ce chiffre. » → il souligne
f. « Je ne vous le permets pas, c'est tout. » → il interdit

Grammaire

1. Dites ce qu'ils viennent de faire ; ce qu'ils sont en train de faire ; ce qu'ils vont faire.
Utilisez les expressions du tableau une seule fois.

Action passée	Action présente	Action future
vient de déjà	est en train de ne... pas encore ne... plus encore	va

Jour de match – Commentaire à la radio

Le match ....*vient de*.... commencer et <u>déjà</u> une action dangereuse pour le PSG !

15ᵉ minute. Le stade explose de joie. Le PSG a ..*déjà*.... marqué un premier but.

30ᵉ minute. 2ᵉ but pour le PSG qui ...*est en train de*... gagner le match.

Mi-temps. Les supporters marseillais espèrent que leur équipe ....*va*.... se réveiller.

L'entraîneur de Marseille dit à ses joueurs que le match *n'a pas encore* perdu. Ils ont ...*encore*... leur chance.

50ᵉ minute. 3ᵉ but pour le PSG ! C'est fini. Marseille ......*n'*... est ...*plus*..... dans la course.

2. Commentez le dessin. Observez et complétez.

a. La dame en noir avec le sac et l'enfant
→ Elle est ....*en train de*...... d'arriver sur la plage.

b. Le cerf-volant en forme d'éléphant
→ Il ......*vient*...... de s'envoler.

c. Le couple emmitouflé assis sur le sable
→ Il est ....*déjà*...... installé.

d. La famille avec la poussette et trois enfants
→ Elle ...*n' a pas encore* trouvé sa place.

e. L'homme avec la casquette qui va sortir du champ
→ Il ......*va*...... partir.

f. Les deux adolescents en T-shirt
→ Ils ....~~va~~ *vont*.... lâcher leur cerf-volant.

g. Le groupe d'enfants sur le toboggan avec l'animatrice
→ Ils sont ....*encore*.... sur le toboggan.

3. Conjuguez les verbes en -*uire* au présent.

a. Construire
Je ....*construis*.... un projet.
Nous ....*construisons*.... l'avenir.
Vous ....*construisez*.... une fresque.
Ils ....*construisent*.... un décor.
Elle ....*construit*.... une relation.

b. Produire
Tu ....*produis*.... un film.
Vous ....*produisez*.... une impression.
Il ....*produit*.... un effet.
Nous ....*produisons*.... des salades.

c. Réduire
Elle ....*réduit*.... ses ambitions.
Ils ....*réduisent*.... leurs dépenses.
Nous ....*réduisons*.... le temps de formation.

Oral

1. Écoutez. Distinguez [p] et [b]. Cochez.
N° 29

Portraits croisés	[p]	[b]
a. Elle est ambitieuse et passionnée.		
b. Il plaît beaucoup.		
c. Elle est brillante et simple.		
d. Il parle bien.		
e. Elle est brune		
f. Il est blond.		
g. Elle est superbe.		
h. Il est sportif.		
i. Ils sont pleins de belles promesses.		

Vocabulaire

1. Apprenez le vocabulaire.

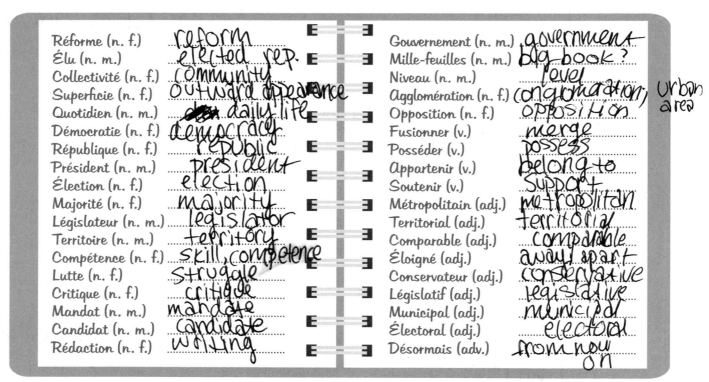

Réforme (n. f.)	*reform*	Gouvernement (n. m.)	*government*
Élu (n. m.)	*elected rep.*	Mille-feuilles (n. m.)	*big book ?*
Collectivité (n. f.)	*community*	Niveau (n. m.)	*level*
Superficie (n. f.)	*outward appearance*	Agglomération (n. f.)	*conglomeration; urban area*
Quotidien (n. m.)	*daily life*	Opposition (n. f.)	*opposition*
Démocratie (n. f.)	*democracy*	Fusionner (v.)	*merge*
République (n. f.)	*republic*	Posséder (v.)	*possess*
Président (n. m.)	*president*	Appartenir (v.)	*belong to*
Élection (n. f.)	*election*	Soutenir (v.)	*support*
Majorité (n. f.)	*majority*	Métropolitain (adj.)	*metropolitan*
Législateur (n. m.)	*legislator*	Territorial (adj.)	*territorial*
Territoire (n. m.)	*territory*	Comparable (adj.)	*comparable*
Compétence (n. f.)	*skill, competence*	Éloigné (adj.)	*away apart*
Lutte (n. f.)	*struggle*	Conservateur (adj.)	*conservative*
Critique (n. f.)	*critique*	Législatif (adj.)	*legislative*
Mandat (n. m.)	*mandate*	Municipal (adj.)	*municipal*
Candidat (n. m.)	*candidate*	Électoral (adj.)	*electoral*
Rédaction (n. f.)	*writing*	Désormais (adv.)	*from now on*

2. Vérifiez la compréhension de l'article sur les régionales (Livre de l'élève, p. 70). Vrai ou faux ?

	VRAI	FAUX
a. Le but de la réforme régionale est de faire des économies et de diminuer les dépenses.	☒	☐
b. Les nouvelles régions peuvent avoir une superficie comparable à celle de l'Autriche.	☒	☐
c. On n'a pas voulu fusionner des régions ayant des populations jeunes avec des régions ayant des populations âgées.	☐	☒
d. Les nouvelles régions vont avoir des compétences qui appartenaient aux départements.	☒	☐
e. Certaines villes vont être très éloignées de la capitale régionale.	☒	☐

3. Chassez l'intrus. Dites pourquoi le mot est un intrus.

a. L'Assemblée nationale – le Conseil régional – le Sénat

→ **le Conseil régional : ce n'est pas une assemblée nationale.**

b. Le président – le Premier ministre – le maire

→ le maire : ce n'est pas important comme les autres

c. Le territoire – le département – la commune

→ le territoire : ce n'est pas une structure administrative

d. Les députés – les ministres – les sénateurs

→ les ministres : ils ne sont pas élus par les gens

e. L'agglomération – le territoire – le mille-feuille

→ le mille-feuille : ce n'est pas une unité territoriale

f. Le candidat – l'élu – le représentant du peuple

→ le candidat : il n'est pas élu

ne ... plus → not anymore
ne ... encore → not yet

4. Qui fait quoi ? Complétez avec les verbes de la liste.
représenter ; diriger ; nommer ; élire ; choisir ; soutenir

a. Le président ....nomme.... le Premier ministre.
b. Le Premier ministre ....choisit.... les ministres.
c. Le parlement ....représente.... la nation.
d. Les habitants des régions ....élisent.... le conseil régional.
e. La majorité ....soutient.... le Premier ministre.
f. Le Conseil régional ....dirige.... la région.

5. Des verbes au substantif. Formez des expressions.

a. Nommer → **La nomination** des ambassadeurs
b. Choisir → ....le choix.... de la majorité
c. Représenter → ....la représentation.... nationale
d. Élire → ....L'élection.... des représentants du peuple
e. Soutenir → ....le soutien.... de l'opinion publique
f. Diriger → ....La direction.... des affaires de l'État.

Écrit

?? qu'est-ce c'est? OH je vois

Très bien ! 100/100

1. Compréhension des écrits. Classez ces informations.

	France	Europe	Monde
1. Informations politiques	e, o	h	d, j, p
2. Informations économiques et sociales	a	k	
3. Informations culturelles	f	m	n
4. Informations religieuses			l
5. Informations sportives			g
6. Informations médiatiques	c		b, i

les élections sont en avril et mai... cinq ans

TELEX

Lundi
- **21e Congrès de la CGT** (Confédération générale du travail) à Marseille. Philippe Martinez est le seul candidat. (a.)
- Annonce du **Prix Pulitzer** à New York, le plus célèbre prix de journalisme (b.)

Mardi
- Motion de défiance contre le directeur de l'information du groupe de chaînes publiques **France Télévisions**. (c.)
- Inauguration officielle de la nouvelle **Cour pénale internationale à La Haye** (Pays-Bas) en présence de Ban Ki-moon, secrétaire général de l'ONU (d.)

Mercredi
- Le maire d'Hénin-Beaumont, Steeve Briois (Front national), répond à Florian Philippot (Front national) qui relativise dans un article du journal Le Monde la nécessité de supprimer **la loi sur le « mariage pour tous »** en comparant « l'importance » de ce sujet à celle de « la culture du bonzaï ». Réponse par tweet de l'intéressé : « Chacun cultive son bonzaï comme il le souhaite. » (e.)
- Exposition « Jardins d'Orient » à **l'Institut du monde arabe**. (f.)

Jeudi
- Allumage de la **flamme olympique** à Olympie (Grèce) avant son départ pour Rio. (g.)
- Cérémonie à Londres en l'honneur du 90e anniversaire de la reine Élisabeth II. (h.)
- **Kamel Daoud** reçoit le Prix Jean-Luc Lagardère pour « son courage et son talent d'écrivain-journaliste au service de la liberté » (i.)

Vendredi
- Signature à l'ONU de l'**accord sur le climat COP21** conclu à Paris. (j.)
- Réunion informelle des **ministres de l'économie** de l'Union européenne sur la question des paradis fiscaux. (k.)
- Début de la fête de Pessah, la Pâque juive (l.)

Samedi
- Cérémonie à Londres en l'honneur du 400e anniversaire de la mort de **William Shakespeare** (m.)
- **Louis Vuitton** s'expose au Japon. Tokyo accueille « Volez, Voguez, Voyagez », l'exposition sur l'aventure de la maison Louis Vuitton. (n.)

Dimanche
- Deuxième tour de l'**élection législative partielle** pour succéder à Jean-Marc Ayrault, ministre des Affaires étrangères. (o.)
- Barack Obama au **Salon de l'Industrie à Hanovre** (Allemagne). (p.)

2. Les affirmations suivantes sont-elles vraies ou fausses ?

	VRAI	FAUX
a. Lundi, on connaîtra le journaliste qui aura le prix Pulitzer.	☒	☐
b. Les journalistes de la télévision sont très satisfaits de leur chef. → non	☐	☒
c. Le parti politique Front national est uni pour rejeter la loi sur « le mariage pour tous ».	☐	☒
d. Cette année, la flamme olympique traversera l'Atlantique.	☒	☐
e. L'Europe s'intéresse aux pays où l'on peut cacher son argent sans payer d'impôt.	☒	☐
f. Louis Vuitton expose ses peintures au Japon.	☐	☒
g. Les Français iront voter dimanche pour élire leurs députés.	☒	☐

Vocabulaire

1. Apprenez le vocabulaire.

Piéton (n. m.) ....

Rive (n. f.) ....

Chantier (n. m.) ....

Berge (n. f.) ....

Patrimoine (n. m.) ....

Flux (n. m.) ....

Véhicule (n. m.) ....

Pointe (n. f.) ....

Lancer (v.) ....

Longer (v.) ....

Rendre (v.) ....

Circuler (v.) ....

Évoquer (v.) ....

Céder (v.) ....

Exposé (adj.) ....

Définitivement (adv.) ....

2. Vérifiez la compréhension de l'article de presse sur la COP 21 (Livre de l'élève, p. 72). Associez une information à chacun de ces éléments.

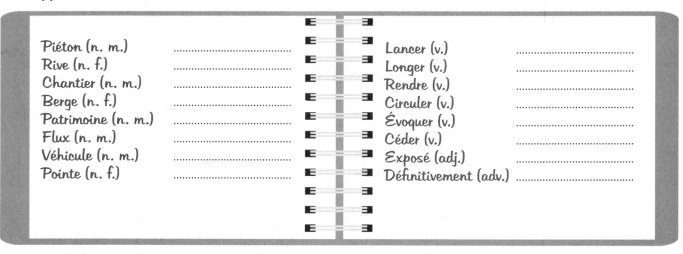

a. Au Bourget : ....

b. François Hollande : ....

c. 11 décembre : ....

3. Vérifiez la compréhension du mail (Livre de l'élève, p. 72). Associez les informations à ces adjectifs.

a. Impressionnant : ....

b. Présents : ....

c. Volontaire : ....

4. Les mots de la négociation. Complétez avec les mots de la liste.

obstacle ; accord ; négociation ; signature ; engagement

a. 150 pays vont participer aux .... sur le climat.

b. Mais, il y a un .... important. Certains pays émergents n'acceptent pas tous les points de l'accord.

c. La France, pays organisateur, espère obtenir .... de tous les pays.

d. Pour l'obtenir, il faudra un .... des pays riches à aider les pays émergents.

e. La .... de l'accord doit se faire à la fin du mois.

5. Exprimez l'opinion à l'aide des verbes de la liste.

espérer ; souhaiter ; approuver ; penser ; être pour

a. J' .... que nous arriverons à un accord.

b. Dans l'intérêt de tous, je .... que toutes les parties fassent un effort.

c. Je .... que tout le monde a bien compris les enjeux.

d. Je .... mettre en place des règles précises.

e. J'.. les propositions audacieuses.

Oral

 1. Écoutez ce micro-trottoir et attribuez les opinions.

N° 30

	Malik	Romain	Guillaume
a. Écouter la forêt	❑	❑	❑
b. Vivre avec la forêt	❑	❑	❑
c. Respecter la forêt	❑	❑	❑
d. Apprendre à vivre ensemble	❑	❑	❑
e. Coopérer	❑	❑	❑
f. Abandonner les habitudes	❑	❑	❑
g. Se comporter comme un citoyen	❑	❑	❑

COMPRÉHENSION DES ÉCRITS

COMPRENDRE UN ARTICLE DE PRESSE ÉCRITE

18 ans, mon premier vote

Ils ont la vie devant eux et ils vont participer à leur première élection présidentielle. Gros plan sur leurs rêves, leurs espoirs, leurs révoltes.

Arnaud est en première année d'école hôtelière à Aix-en-Provence. Il aime le waterpolo, le cinéma, les sorties entre copains et il suit l'actualité. « Ce que j'attends du prochain président de la République ? Qu'il entende les besoins de chaque classe sociale, qu'il fasse respecter la devise "liberté, égalité, fraternité". Je voudrais qu'il s'occupe particulièrement des jeunes pour leur donner les mêmes chances de réussite. »

Lola est étudiante en prépa d'arts plastiques à Sainte-Geneviève-des-Bois dans la région parisienne. Elle est fan de jeux vidéo, elle joue au volley, elle aime les films de Tim Burton et elle est très fière de sa collection de baskets ! « On entend toujours parler de crise, j'aimerais qu'il nous en sorte ! Qu'il nous rende la vie plus facile, plus confortable. Et qu'il essaie de gommer le fossé entre les gens. »

a. Faites le portrait de chacun des témoins de l'article.

	Arnaud	Lola
1. Études		
2. Activités sportives		
3. Activités culturelles		
4. Activités sociales		
5. Hobbys		

b. Retrouvez leurs préoccupations.

	Arnaud	Lola
1. Préoccupations politiques		
2. Préoccupations économiques		
3. Préoccupations sociales		

COMPRÉHENSION DE L'ORAL

Vous écoutez la radio. Lisez les questions. Écoutez le document puis répondez aux questions.

N° 31   • **Information 1**

a. Combien il y a maintenant de régions en France ?
❏ 13.
❏ 16.
❏ 22.

b. Certaines nouvelles régions comme l'Aquitaine auront la taille de...
❏ la Suisse.
❏ l'Autriche.
❏ la Slovénie.

c. Sur quoi veut-on faire des économies ?

....

d. Quels sont les nouveaux domaines de compétences des régions ? Cochez.

❏ économie
❏ école
❏ pollution
❏ travail

❏ logement
❏ aide sociale
❏ transport

e. Quel est le risque de ces regroupements ?

....

• **Information 2**

a. Associez l'information qui va avec ce commentaire.

1. « un accord contraignant » : ....

2. « un horizon raisonnable » : ....

3. « un fait » : ....

4. « ça semble le cas jour après jour » : ....

b. Qu'est-ce qui devient une contrainte partagée ?

....

c. Quel est l'obstacle ?

....

PRODUCTION ÉCRITE

RACONTER UNE EXPÉRIENCE
Vous écrivez un texte sur un site internet pour présenter un évènement traditionnel de votre pays. Vous décrivez cet évènement (quand, où, programme). Vous dites pourquoi vous l'avez choisi. (60 mots minimum)

....

....

....

....

....

....

PRODUCTION ORALE

Vous habitez en France. Vous voulez participer à la vie associative. Vous allez dans une association de votre choix. Vous demandez des informations sur les activités, les horaires, les tarifs d'inscription.

Vocabulaire

1. Apprenez le vocabulaire.

Stress (n. m.)	Chaleur (n. f.) ....
Maladie (n. f.)	Chauffage (n. m.) ....
Motivation (n. f.)	Virus (n. m.) ....
Diminution (n. f.)	Aspirine (n. f.) ....
Performance (n. f.)	Forme (n. f.) ....
Conflit (n. m.)	Brûler (v.) ....
Alimentation (n. f.)	Gérer (v.) ....
Solution (n. f.)	Dû (être) (v.) ....
Relaxation (n. f.)	Guérir (v.) ....
Yoga (n. m.)	Permettre (v.) ....
Médicament (n. m.)	Relaxer (v.) ....
Conséquence (n. f.)	Raccompagner (v.) ....
Moyen (n. m.)	Baisser (v.) ....
Compétition (n. f.)	Entraîner (v.) ....
Trac (n. m.)	Épuisé (adj.) ....
Fièvre (n. f.)	Panne (en) (adj.) ....

2. Vérifiez la compréhension de l'interview (Livre de l'élève, p. 78). Vrai ou faux ?

	VRAI	FAUX
a. Le burn-out est un petit coup de fatigue dû à trop de travail.	❑	❑
b. La cause du burn-out est le stress.	❑	❑
c. On reconnaît un épuisement professionnel au manque de motivation et à la diminution des performances.	❑	❑
d. Le stress ou le burn-out peuvent être liés à un conflit professionnel ou personnel.	❑	❑
e. Les techniques de relaxation sont inefficaces pour réduire le stress.	❑	❑

3. Définir. Faites correspondre.

a. État d'épuisement professionnel	**1.** La fièvre
b. Technique de relaxation	**2.** Le stress
c. Température du corps élevée	**3.** Le yoga
d. État de tension nerveuse	**4.** Le burn-out

4. Complétez avec un adjectif de la liste.

angoissé ; anxieux ; dégoûté ; épuisé ; motivé

a. Aujourd'hui, il a travaillé 10 heures pour finir un rapport. En fin de journée, il est ....

b. À 9 heures, elle passe un examen. Elle n'a révisé que la moitié du programme.

Elle n'a rien pu manger au petit déjeuner. Elle est ....

c. Son nouveau travail le passionne. Il est ....

d. Un nouveau directeur arrive demain. Personne ne le connaît. Tout le personnel est ....

e. Elle a passé près de 100 heures sur un projet. Ce projet a été refusé. Elle est un peu ....

5. Vérifiez la compréhension de la séquence 31 (Livre de l'élève, p. 79). Retrouvez qui dit quoi.

a. « Je ne me sens pas bien. » → ....

b. « J'ai plutôt froid. » → ....

c. « Vous voulez une aspirine ? » → ....

d. « Vous travaillez trop. Trop de stress, ce n'est pas bon pour la santé. » → ....

e. « Vous devez vous reposer. » → ....

f. « Je me sens mieux. » → ....

g. « Un jour de repos et vous reviendrez en pleine forme. » → ....

h. « Je crois qu'elle a des problèmes de cœur. » → ....

Grammaire

1. EXPRIMER LA CAUSE, LA CONSÉQUENCE ET LE MOYEN. Complétez à l'aide des expressions de la liste.
à cause de ; venir de ; être dû à ; être la conséquence de ; grâce à

a. Lucas a raté l'examen .... d'une préparation insuffisante.

b. Ses mauvais résultats .... à une mauvaise méthode de travail.

c. C'est aussi .... de conditions de travail difficiles.

d. Ses problèmes .... aussi d'un environnement social compliqué.

e. Mais Lucas peut s'améliorer .... de bons conseils.

2. DONNER UNE EXPLICATION. Complétez à l'aide des verbes de la liste.
entraîner ; produire ; permettre ; provoquer ; s'expliquer par

Environnement

a. L'augmentation de la température .... l'effet de serre.

b. L'émission de gaz carbonique .... un amincissement de la couche d'ozone.

c. Cet amincissement .... l'augmentation de la température.

d. Le changement de climat a .... une prise de conscience de la catastrophe à venir.

e. L'accord de la COP 21 .... de reprendre espoir.

Oral

1. Distinguez [s] et [z]. Écoutez et cochez.

N° 32

Cinémathèque. À l'affiche

	[s]	**[z]**
a. Doux oiseaux de ma jeunesse		
b. « Z » qui signifie en grec ancien « il est vivant »		
c. L'arroseur arrosé		
d. Signé Zorro		
e. Le Cercle Rouge		
f. Salé Sucré		
g. Zazie dans le métro		
h. Les Yeux sans Visage		

Vocabulaire

1. Apprenez le vocabulaire.

Dentiste (n. m. / f.)	Brûlure (n. f.)
Infirmier (n. m.)	Massage (n. m.)
Kinésithérapeute (n. m. / f.)	Ordonnance (n. f.)
Praticien (n. m.)	Analyse (n. f.)
Patient (n. m.)	Tension (n. f.)
Cheveux (n. m. pl.)	Urines (n. f. pl.)
Œil (pl. yeux) (n. m.)	Sang (n. m.)
Bouche (n. f.)	Soin (n. m.)
Dent (n. f.)	Accouchement (n. m.)
Cou (n. m.)	Difficulté (n. f.)
Gorge (n. f.)	Logement (n. m.)
Épaule (n. f.)	Handicap (n. m.)
Bras (n. m.)	Conjoint (n. m.)
Dos (n. m.)	Ressource (n. f.)
Doigt (n. m.)	Condition (n. f.)
Estomac (n. m.)	Fixer (v.)
Poitrine (n. f.)	Gratter (v.)
Poumon (n. m.)	Tousser (v.)
Ongle (n. m.)	Consulter (v.)
Jambe (n. f.)	Examiner (v.)
Pied (n. m.)	Soigner (v.)
Lunettes (n. f. pl.)	Cotiser (v.)
Erreur (n .f.)	Résider (v.)
Coup (n. m.)	Bénéficier (v.)
Vertige (n. m.)	Urgent (adj.)
	Complémentaire (adj.)

2. Nommez les parties du corps.

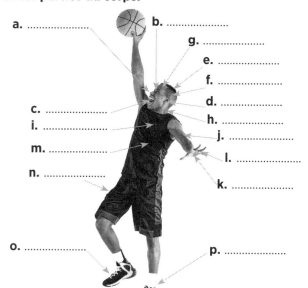

a. ....
b. ....
g. ....
e. ....
f. ....
c. ....
d. ....
i. ....
h. ....
m. ....
j. ....
n. ....
l. ....
k. ....
o. ....
p. ....

3. Chassez l'intrus.

a. une dent – la langue – la bouche – le nez
b. le nez – les cheveux – l'oreille – les yeux
c. la dent – le bras – l'épaule – la main
d. la poitrine – le ventre – la gorge – le dos
e. la tête – l'estomac – les poumons – le cœur
f. la jambe – la cheville – le pied – l'ongle

4. DÉCRIRE UNE PERSONNE.
Décrivez Charlotte Gainsbourg avec : *elle a, elle est, elle porte...*

5. Associez les photos et les expressions.

a. Elle ouvre de grands yeux.
b. Elle hausse les épaules.
c. Il se pince le nez.
d. Ils vont bras dessus-bras dessous.
e. Il tire la langue.
f. Il a mal au dos.

6. Associez maintenant cette gestuelle à des sentiments ou des sensations.

étonné ; indifférent ; dégoûté ; amoureux ; moqueur ; épuisé par des heures de travail informatique

Photo 1 : ....
Photo 2 : ....
Photo 3 : ....
Photo 4 : ....
Photo 5 : ....
Photo 6 : ....

7. Caractérisez avec les mots du corps.

les pieds ; cœur ; le dos ; la peau ; les nerfs

a. Il est généreux. Il a bon ....
b. Il l'aime à la folie. Il l'a dans ....
c. Elle ne le supporte plus. Elle en a plein ....
d. Elle est réaliste. Elle a .... sur terre.
e. Il l'énerve. Il lui tape sur ....

8. Il / Elle va bien ou il / elle ne va pas bien ? Cochez.

	Il / Elle va bien	Il / Elle ne va pas bien
a. J'ai bonne mine.		
b. Je tousse beaucoup.		
c. J'ai des brûlures d'estomac.		
d. Je mange bien.		
e. Mon sommeil est bon.		
f. J'ai de bons yeux.		
g. J'ai des vertiges.		
h. Je suis plein d'énergie.		
i. J'ai mal à la gorge.		
j. J'ai une douleur au bras.		

9. Qui sont-ils / elles ?

a. Il / Elle soigne les dents. → ....
b. Il / Elle aide à remettre le corps en mouvement.
→ ....
c. Il / Elle aide à pratiquer les soins.
→ ....
d. Il / Elle surveille la bonne santé des patients.
→ ....
e. Il / Elle aide à mettre au monde les bébés.
→ ....

Oral

 1. Vérifiez la compréhension des deux prises de rendez-vous. Écoutez les messages.

N° 33

	Message 1	Message 2
a. Chez qui prend-on rendez-vous ?		
b. Pour quoi ?		
c. Quand ?		
d. À quelle heure ?		

 2. Écoutez les dialogues.

N° 34

	Dialogue 1	Dialogue 2	Dialogue 3
a. Qui est consulté ?			
b. Quelle est la cause ?			
c. Quel est le remède ?			

Unité 5 - Leçon 3 - Raconter un accident

Vocabulaire

1. Apprenez le vocabulaire.

Chance (n. f.) ....

Ambulance (n. f.) ....

Massif (n. m.) ....

Secours (n. m.) ....

Accrocher (v.) ....

Évanouir (s') (v.) ....

Rassurer (v.) ....

Glisser (v.) ....

Heurter (v.) ....

Inquiet (adj.) ....

2. Vérifiez la compréhension de la séquence 32 (Livre de l'élève, p. 82). Répondez aux questions.

a. Quand madame Dumas a-t-elle vu Greg pour la dernière fois ?

....

b. Qui devait aller au cinéma avec Greg ?

....

c. Pourquoi Greg a-t-il un pansement autour de la tête ?

....

d. Qu'est-ce qui lui est tombé sur la tête ?

....

e. Où a-t-il été soigné ?

....

f. Est-ce que c'est grave ?

....

3. Exprimer l'inquiétude – rassurer. Complétez.

a. Virginie : Ça fait deux heures que j'attends ma fille qui devait rentrer à 22 heures. Je suis ....

b. .... il lui soit arrivé quelque chose de grave.

c. Avec tout ce qui se passe en ce moment, je ....

d. Pas de nouvelles, elle n'a pas téléphoné, c'est mauvais signe, je ....

e. Jean-François : .... elle est entre de bonnes mains.

f. Tout va bien se passer, ...

4. Voici l'adjectif. Complétez ces expressions avec le substantif.

a. Inquiet → être mort d'...

b. Surpris → la .... du chef.

c. Soucieux → le .... des autres.

d. Rassuré → faire preuve d'..

e. Peureux → la .... du lendemain.

Grammaire

1. Exprimer la durée. Voici les réponses. Trouvez les questions.

Retrouvailles

– Comme le temps passe !

a. – .... ?

– Il y a deux ans que l'on ne s'est pas vus.

b. – .... ?

– Cela fait deux mois que l'on ne s'est pas parlés.

c. – .... ?

– On ne s'est pas écrits depuis Noël, l'an passé.

d. – .... ?

– J'ai attendu de tes nouvelles pendant trois mois. C'était insupportable.

e. – .... ?

– Lucie et Richard ? Cela fait deux ans qu'ils ne s'adressent pas la parole.

f. – .... ?

– Je n'ai pas vu Lucie depuis un an.

2. Lisez la carte postale. Posez des questions.

Non ! Je ne vous envoie pas un courriel mais une carte postale ! À l'ancienne... ! J'ai adoré ce musée ! Cela fait six mois que nous sommes à Djakarta... Comme le temps passe...
Nous avons trouvé un bel appartement et l'installation s'est bien passée. Il y a deux mois que j'ai pu commencer à travailler : j'ai attendu mon contrat de travail pendant quatre mois... des histoires de papiers... Nous découvrons le climat tropical. Depuis un mois, il pleut tous les jours... C'est comme un rendez-vous à heure fixe. J'ai d'ailleurs recommencé à faire des photos il y a un mois. Je vous en envoie... par mail cette fois !
Bises
Apolline

« Djakarta, Musée du Wayang »

a. ....
.... ?

b. ....
.... ?

c. ....
.... ?

d. ....
.... ?

e. ....
.... ?

Oral

 1. Écoutez. Distinguez [œ], [ø] et [ɔ]. Cochez.

N° 35

	[œ]	[ø]	[ɔ]
a. Danseuse, un vrai rôle !			
b. Le corps pleure.			
c. Le corps a peur.			
d. Mais il émeut.			
e. Il met le feu.			
f. Il dit la peur, la mort, le bonheur.			
g. On lui offre des fleurs.			
h. Tout un jeu !			

2. Écoutez le récit de l'accident. Répondez aux questions.

N° 36

a. Qu'est-ce qui est arrivé ?

....

b. Où ça s'est passé ?

....

c. Quand ?

....

d. Quelle est la cause de l'accident ?

....

e. Quelles sont les conséquences ?

....

Unité 5 - Leçon 4 - S'occuper de sa forme

Vocabulaire

1. Apprenez le vocabulaire.

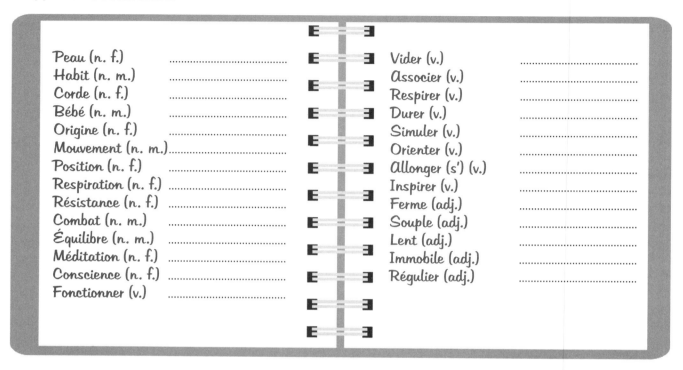

Peau (n. f.) ....
Habit (n. m.) ....
Corde (n. f.) ....
Bébé (n. m.) ....
Origine (n. f.) ....
Mouvement (n. m.) ....
Position (n. f.) ....
Respiration (n. f.) ....
Résistance (n. f.) ....
Combat (n. m.) ....
Équilibre (n. m.) ....
Méditation (n. f.) ....
Conscience (n. f.) ....
Fonctionner (v.) ....

Vider (v.) ....
Associer (v.) ....
Respirer (v.) ....
Durer (v.) ....
Simuler (v.) ....
Orienter (v.) ....
Allonger (s') (v.) ....
Inspirer (v.) ....
Ferme (adj.) ....
Souple (adj.) ....
Lent (adj.) ....
Immobile (adj.) ....
Régulier (adj.) ....

2. Vérifiez la compréhension de la bande dessinée (Livre de l'élève, p. 84).
Retrouvez les expressions qui correspondent à chacune de ces raisons de faire du sport.

Faire du sport

a. Par plaisir → ....

b. Par volonté → ....

c. Pour avoir une raison de faire du shopping → ....

d. Par hygiène mentale → ....

e. Par anticipation → ....

f. Par envie de rester jeune → ....

g. Par défi → ....

3. Complétez avec les verbes de la liste.
supporter ; soigner ; résister ; inspirer ; guérir ; respirer

Fumeur dépendant

Jérémie fume trop. Quand il fait son jogging, il a des difficultés à ....

Le matin, en prenant son café, il ne peut pas .... à allumer la première cigarette de la journée.

Sa compagne est en colère. Elle ne .... pas l'odeur du tabac.

Elle répète à Jérémie : « La dépendance, c'est une maladie. Tu dois te .... Va voir un médecin ! »

Hier, Jérémie est allé voir un acupuncteur. Il a été bien ....

Espérons qu'il va .... de sa dépendance.

4. Vérifiez la compréhension de l'article (Livre de l'élève, p. 85). Retrouvez les informations suivantes pour chaque pratique de relaxation.

	Quoi	Comment	Pour quoi	Durée
a. Qi gong				
b. Taï-chi				
c. Méditation en pleine conscience				

Grammaire

1. Donnez les raisons. Complétez en utilisant l'information et l'expression entre parenthèses.

Relation complexe

a. Pourquoi on ne le voit pas plus souvent ? *(voyages fréquents à l'étranger – à cause de)*

....

b. Pourquoi il ne donne pas plus de nouvelles ? *(trop de travail – parce que)*

....

c. Comment il est devenu célèbre ? *(ses talents – grâce à)*

....

d. Pourquoi les gens recherchent sa compagnie ? *(sa gentillesse – s'expliquer par)*

....

e. Pourquoi il ne parle jamais de sa vie privée ? *(son caractère secret – en raison de)*

....

f. Pourquoi est-ce qu'il a de mauvaises relations avec la presse ? *(sa personnalité indépendante – être dû à)*

....

2. PRESCRIRE. Conjuguez les verbes.

Le médecin donne des instructions au patient

a. (Prendre) .... ce médicament tous les matins.

b. (Faire) .... ces exercices tous les jours.

c. (Travailler) .... votre respiration.

d. (Rester) .... allongé sur le dos.

e. (Changer) Ne .... pas de position.

f. (Recommencer) .... plusieurs fois.

3. Conjuguez au présent les verbes en -*ir*.

a. Guérir

Elle .... de la grippe.

Vous .... de la fièvre.

Ils .... du virus.

b. Choisir

Je .... la bonne saison.

Nous .... l'hôtel le plus agréable.

Elles .... la plus belle chambre.

c. Réunir

Tu .... les bons élèves.

Vous .... les plus sportifs.

Ils .... les meilleurs.

Vocabulaire

1. Apprenez le vocabulaire.

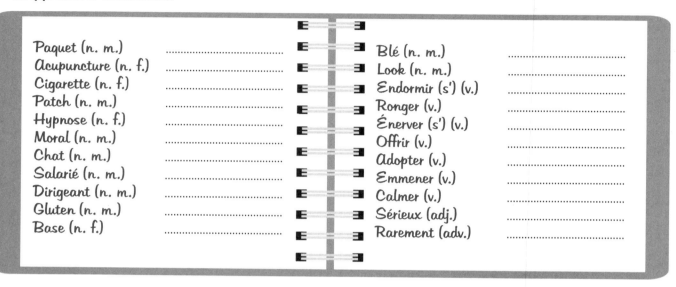

Paquet (n. m.) ....

Acupuncture (n. f.) ....

Cigarette (n. f.) ....

Patch (n. m.) ....

Hypnose (n. f.) ....

Moral (n. m.) ....

Chat (n. m.) ....

Salarié (n. m.) ....

Dirigeant (n. m.) ....

Gluten (n. m.) ....

Base (n. f.) ....

Blé (n. m.) ....

Look (n. m.) ....

Endormir (s') (v.) ....

Ronger (v.) ....

Énerver (s') (v.) ....

Offrir (v.) ....

Adopter (v.) ....

Emmener (v.) ....

Calmer (v.) ....

Sérieux (adj.) ....

Rarement (adv.) ....

2. Vérifiez la compréhension des témoignages du forum (Livre de l'élève, p. 86-87). Dites si chaque témoignage est un problème ou une solution.

	Problème	Solution
a. Je fume un paquet de cigarettes par jour.		
b. Fais de la relaxation.		
c. Je me ronge les ongles.		
d. J'ai beaucoup de difficultés à m'endormir.		
e. As-tu essayé l'hypnose ?		
f. J'ai essayé de me relaxer, de me raconter une histoire, de boire un verre de lait.		
g. J'ai essayé l'acupuncture et le patch.		
h. Je te conseille la méthode japonaise : adopte un chat et emmène-le au travail.		
i. Je me couche tous les soirs à la même heure, je ne regarde plus d'écran, je lis un magazine quelques minutes.		

3. Complétez chaque constat.

ça ne marche pas ; c'est insupportable ; rien n'y fait ; je n'en peux plus ; c'est énervant

a. Impossible d'être en forme le matin : thé, café, chocolat, ... !

b. J'ai tout essayé contre le stress : acupuncture, yoga, méditation, ... !

c. Le soir, je n'arrive pas à m'endormir, je tourne et retourne dans mon lit, ... !

d. J'ai mal à la tête en permanence, ... !

e. Cela fait trois jours qu'il pleut. Rester à la maison, ne pas pouvoir sortir, ... !

4. Qu'est-ce qu'il fait quand il dit... ?

proposer ; signaler ; conseiller ; recommander ; encourager

a. « Continuez à faire des efforts, ça va payer ! » → ....

b. « Commencez plutôt par cette activité ! » → ....

c. « Vous ne le connaissez pas ? Lisez ce livre, ça vous aidera, j'en suis sûr ! » → ....

d. « Vous voulez que je relise votre texte ? » → ....

e. « Je vous indique aussi cette référence ! » → ....

5. Indiquez la fréquence. Complétez avec les mots de la liste.

quelquefois ; de temps en temps ; souvent ; rarement ; jamais ; tous les jours ; toujours

Loisirs

a. Le cinéma pour moi, c'est un film par jour. J'y vais ....

b. La télévision ? Je ne l'allume pas. Je ne la regarde ....

c. Au stade ? J'y vais .... , pour les grands matches.

d. Le théâtre ? C'est seulement une ou deux fois par an. J'y vais donc ....

e. Faire du shopping avec ma copine ? .... quand même ; mais elle préfère y aller avec ses copines.

f. Le sport ? .... en semaine, jamais le dimanche !

g. Le jogging ? Régulièrement. .... le samedi matin avec les potes.

6. Tendance ou pas tendance ? Comparez.

Le jean : ....

....

....

....

La veste : ....

....

....

....

La chemise : ....

....

....

....

COMPRÉHENSION DES ÉCRITS

SE REMETTRE AU SPORT : Quelques conseils !

L'été, la plage, la piscine, la montagne...
Mode d'emploi pour recommencer le sport en douceur

➢ **Consultez votre médecin**

Un petit bilan est nécessaire pour voir si vous n'avez pas de problèmes de dos, de genou ou de cœur... Il pourra aussi vous conseiller l'activité la plus adaptée. Parce qu'il est sérieux, votre club vous demandera un certificat médical.

➢ **Remettez-vous en forme physique**

Pendant un mois, relancez lentement la machine. Marchez au moins trente minutes par jour. Montez et descendez les étages à pied. Vous retrouverez du souffle et des muscles.

➢ **Respectez votre corps**

Buvez avant, pendant et surtout après l'effort. Courez entre les repas bien avant et bien après. Faites se rejoindre le rythme de votre activité sportive et de votre activité personnelle. Préférez, pour commencer, la gym douce.

a. Quels conseils associez-vous à ces trois domaines ?

1. médecine : ....

2. forme physique : ....

3. corps : ....

b. Quelles sont les parties du corps à faire observer par le médecin ?

....

c. Combien de temps faut-il consacrer à la marche ?

....

d. Qu'est-ce que l'on cherche à faire en commençant par la gym douce ?

....

COMPRÉHENSION DE L'ORAL

N° 37

Vous recevez ces messages sur votre répondeur. Lisez les questions. Écoutez le document puis répondez aux questions.

	Message 1	Message 2	Message 3
a. Qui ?			
b. Où ?			
c. Quoi ?			
d. Quand ?			
e. À quelle heure ?			
f. N° de téléphone ?			

PRODUCTION ÉCRITE

Vous recevez un courriel d'une amie française. Vous la remerciez et vous acceptez son invitation. Vous lui dites quand vous arriverez et quelles activités sportives vous voulez faire avec elle. (60 mots minimum)

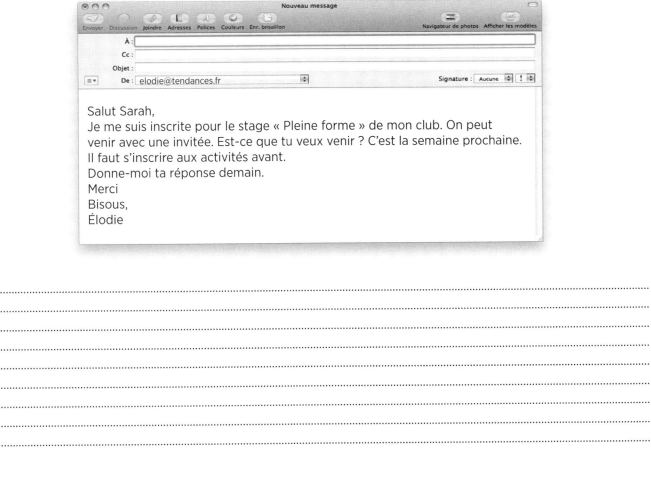

Salut Sarah,
Je me suis inscrite pour le stage « Pleine forme » de mon club. On peut venir avec une invitée. Est-ce que tu veux venir ? C'est la semaine prochaine.
Il faut s'inscrire aux activités avant.
Donne-moi ta réponse demain.
Merci
Bisous,
Élodie

....
....
....
....
....
....
....
....

PRODUCTION ORALE

EXERCICE EN INTERACTION
Un ami vous propose de participer à une randonnée.
Vous discutez de ce que vous voulez faire : itinéraire, activités, pauses repas, horaires.

Vocabulaire

1. Apprenez le vocabulaire.

Flacon (n. m.) ....
Solo (n. m.) ....
Succès (n. m.) ....
Compositeur (n. m.) ....
Source (n. f.) ....
Fable (n. f.) ....
Vengeance (n. f.) ....

Aquarelle (n. f.) ....
Maître (n. m.) ....
Dessin (n. m.) ....
Devenir (v.) ....
Redevenir (v.) ....
Hésiter (v.) ....

2. Vérifiez la compréhension de la séquence 33 (Livre de l'élève, p. 92). Répondez aux questions.

a. Qu'est-ce que Jean-Louis veut montrer à Li Na ?

....

b. Quel est celui que préfère Li Na ?

....

c. Jean-Louis préfère-t-il aussi le même ?

....

d. Qu'est-ce qui caractérise le projet préféré de Li Na ? Pourquoi Li Na a-t-elle fait ce choix ?

....

....

e. Que propose Jean-Louis ?

....

....

f. Est-ce que Li Na accepte ?

....

....

3. Trouvez le contraire.

Désaccords

a. J'adore ce projet ! → ....

....

b. Je trouve ce dessin très beau. → ....

....

c. Le flacon est très coloré. → ....

....

d. Cette forme est très classique. → ....

....

e. Ce sera un succès ! → ....

....

4. Voici la proposition. Qu'est-ce qu'il fait quand il dit... ? Faites correspondre.

a. « D'accord, ça marche ! »
b. « Non, je n'en veux pas ! »
c. « Oui, celui-là est bien mais celui-là aussi. »
d. « Pour moi, je l'ai déjà dit, c'est d'accord. »
e. « Si vous voulez bien, on en reparle demain. »

1. Il confirme.
2. Il hésite.
3. Il accepte.
4. Il réfléchit.
5. Il refuse.

Grammaire

1. INTERROGER. Demandez des précisions avec : *lequel, laquelle, lesquels, lesquelles.*

Préparatifs

a. – Tu as trouvé mon sac de voyage ?
– **Lequel ?**
b. – Le rouge, il est dans la malle ?
– .... , celle de la chambre ?
c. – Oui, elle est avec les sacs de plage.
– .... ? Les nôtres ou ceux des enfants ?
d. – Ah ! Non, les sacs sont avec les serviettes de bain !
– .... ? Les nôtres ?
– Oui, les nôtres !
e. – Ah ! Ça y est je les ai trouvés. Euh, non, il en manque un !
– .... ? Le tien ?
– Oui...
– Comme d'habitude !
f. – Mais il manque aussi une serviette.
– .... ?
– La tienne... comme d'habitude !

2. Complétez avec : *celui (celle) qui / que / où, ceux (celles) qui / que / où.*

a. – Bon alors qu'est-ce qu'on va voir au cinéma ce soir ? *Chocolat* avec Omar Sy ?
– Omar Sy, c'est .... a joué dans *Intouchables* ?
b. – Bravo ! On l'a même vu ensemble !
– Comment s'appelle l'acteur, ... joue le rôle de l'handicapé ?
c. – François Cluzet, ... tu as trouvé formidable dans *Les Petits Mouchoirs*.
– Ah oui, ... énerve tout le monde parce qu'il en fait trop ! Et c'est Charlotte Gainsbourg qui joue la fiancée surprise à la fin...
d. – Non, tu confonds avec le film *Samba*. C'est .... Omar Sy joue le rôle d'un sans-papier.
e. – Ah ! oui... *Intouchables*, *Samba*, ce sont .... je préfère.
f. – Alors c'est OK pour *Chocolat* ?
– Si c'est .... tu veux aller voir, c'est parti !

3. PROPOSER. Complétez avec les expressions de la liste.
si on allait ; on pourrait aller ; pourquoi pas aller ; j'ai bien envie d'aller voir ; que penses-tu de celui / celle qui

Au théâtre ce soir...

a. Si on allait voir Isabelle Huppert dans *Phèdre(s)* au théâtre de l'Odéon ?
b. .... à la Comédie française ? Il y a Dominique Blanc qui joue dans *Britannicus*...
c. .... à l'Odéon, c'est Thomas Ostermeier qui met en scène *La Mouette*.
d. Moi, ... une comédie...
e. .... se joue au Théâtre Antoine, avec Catherine Frot, *Fleur de Cactus* ?

Oral

 1. Écoutez. Distinguez les sons [s], [z], [ʃ]. Cochez.
N° 38

	[s]	[z]	[ʃ]
a. – Charmante cette chanson.			
b. – C'est le morceau préféré de Zoé.			
c. – Sous-estimée en effet.			
d. – Douce chimère, ça s'appelle.			
e. – Et qui chante de manière si suave ?			
f. – Je ne sais pas... Cherche !			
g. – J'ose... pour le plaisir...			
h. – ZAZ ? – Perdu !			

 2. Voici la réponse, posez la question.
N° 39

a. – **Tu emportes lequel ?**
– J'emporte celui-là.
b. – .... ?
– Je prends celle-là.
c. – .... ?
– Je veux ceux-là.
d. – .... ?
– J'aime celles-là.
e. – .... ?
– Je porte celle-là.

Vocabulaire

1. Apprenez le vocabulaire.

Institution (n. f.)	Volaille (n. f.)
Choucroute (n. f.)	Bois (n. m.)
Coq (n. m.)	Nougat (n. m.)
Buffet (n. m.)	Coulis (n. m.)
Chapelle (n. f.)	Framboise (n. f.)
Champ (n. m.)	Réglisse (n. f.)
Fleur (n. f.)	Menthe (n. f.)
Renard (n. m.)	Agrume (n. f.)
Tartine (n. f.)	Salle (n. f.)
Chèvre (n. f.)	Extérieur (n. m.)
Copeau (n. m.)	Carafe (n. f.)
Foie gras (n. m.)	Pourboire (n. m.)
Ferme (n. f.)	Prêcher (v.)
Cèpe (n. m.)	Gratiné (adj.)
Bouillon (n. m.)	Pur (adj.)
Pot au feu (n. m.)	Garni (adj.)
Poêle (n. f.)	Chaleureux (adj.)
Morue (n. f.)	Naturel (adj.)
Brochette (n. f.)	Glacé (adj.)
Agneau (n. m.)	Allergique (adj.)
Herbe (n. f.)	Volonté (à) (adv.)

2. Vérifiez la compréhension du menu (Livre de l'élève, p. 95). Associez...

• ... les origines régionales avec les produits.

a. Bigorre → ....

b. Gubernat → ....

c. Bresse → ....

d. Espelette → ....

e. Aubrac → ....

• ... la caractéristique des préparations avec les produits.

f. Gratiné → ....

g. Poêlé → ....

h. Grillé → ....

i. Glacé → ....

j. Brûlé → ....

k. Chaud → ....

l. Frais → ....

3. Cuisines du Monde. Lisez les petites annonces. Classez les informations.

	1.	2.	3.	4.	5.
a. Nom du restaurant					
b. Type de cuisine					
c. Caractéristiques du lieu					
d. Spécialités					
e. Marques de distinction					
f. Prix					

BONNES ADRESSES RESTAURANTS

1 JAIPUR CAFÉ

Dans un décor digne de Bollywood vous apprécierez une cuisine indienne de qualité. Goûtez le Dahl Murgi, un curry de poulet et de lentilles ou le bœuf Kashmiri mariné dans une sauce épicée servi avec des pommes de terre, des petits pois et un œuf. Les végétariens trouveront également leur bonheur. Jusqu'au 3 mai 2016, **30 % de remise sur votre addition** (hors boissons et hors menus). **7, rue des Messageries 10e – 01.48.01.06.00 M° Poissonnière www.jaipurcafe.fr**

2 LA CHARETTE CRÉOLE

Dépaysement assuré et ambiance soleil de l'océan Indien dans ce sympathique restaurant exotique aux spécialités des îles de la Réunion, Maurice, Madagascar. Marmite d'or 2015 des restaurants afro-antillais. Formule le midi à 20 €. Le soir, carte environ 30 € à 35 €. Dîner aux chandelles, piste de danse et soirées à thème. Fermé dimanche midi. **15, rue Jules Chaplain. Paris 6e – 01.43.26.03.10. M° Vavin ou Notre-Dame-des-Champs**

3 CHEZ LUCIE

À deux pas de la tour Eiffel, cette chaleureuse petite cabane créole vous propose un voyage culinaire exotique aux Antilles et à la Réunion. Les menus à 12,50 € et 16 € au déjeuner et 26 € midi et soir sont de véritables affaires. Entrées au choix : accras de morue, féroce martiniquais, samossas réunionnais... Plats au choix : colombo poulet, touffé de requin, calamars, poulet boucané... Desserts au choix : banane flambée, tarte au coco, mangue passion... Il est prudent de réserver. **15, rue Augereau. Paris 7e – 01.45.55.08.74. M° École Militaire**

4 GANG NAM

Nommé d'après le quartier le plus branché de Séoul, ce restaurant coréen vous accueille avec ses spécialités authentiques et variées qui feront voyager vos sens. Découvrez le Bibimbap, le plat traditionnel composé de riz, de légumes et de viandes pour un déjeuner 100 % équilibré. Laissez vous tenter par le Jéyuk (poêlé de porc pimenté, la soupe de Kimchi ou encore en dessert le Toek, un gâteau de riz gluant. Formule midi à 12,50 €. Sur place ou à emporter. **60, rue Albert Paris 13e – 09.86.35.89.61. M° Olympiades**

5 EMBARQUEZ POUR UN VOYAGE À BALI !

Goûtez les rouleaux aux crevettes, les brochettes de poulet sauce cacahuètes, le poisson cuit dans une feuille de bananier... Menus dégustation de 25 à 55 €. Le vendredi soir, danses balinaises. Formule « Déjeuner à Bali » à 18,50 €. Brunch le week-end à 25 €. **Djakarta Bali, 9 rue Vauvilliers Paris 1er - 01.45.08.83.11. Métro Louvre ou Châtelet**

Oral

1. Écoutez. Qu'est-ce qu'ils font ? Cochez.

N° 40

	1.	2.	3.	4.	5.
a. Ils demandent une explication.					
b. Ils donnent une information.					
c. Ils remercient.					
d. Ils expriment un souhait.					
e. Ils font une demande.					

4. DES EXPRESSIONS CULINAIRES IMAGÉES.
Complétez avec les adjectifs caractéristiques des préparations de l'exercice 2.

a. Tout le monde fait une tête des mauvais jours, l'accueil est ....

b. Il a menti. Tout le monde le sait. Il est ....

c. Il fait des sports dangereux. Il prend des risques. C'est une tête ....

d. Il a fait la fête toute la nuit. Le matin, il n'est plus très ....

e. Il se met vite en colère, il a le sang ....

5. Chassez l'intrus.

a. coq – renard – canard – poulet

b. chèvre – agneau – coulis – bœuf

c. gambas – morue – moules – copeau

d. choucroute – cèpes – morilles – champignons des bois

e. crêpes – ravioles – profiteroles – crème brûlée

6. À quelle catégorie appartient chacune des séries de l'exercice 5 ?

a. Série a → ....

b. Série b → ....

c. Série c → ....

d. Série d → ....

e. Série e → ....

7. Caractérisez. Complétez avec un adjectif de la liste.

agréable ; créatif ; sympathique ; original ; traditionnel

Chefs cuisiniers

a. Maxime invente toujours de nouveaux plats. Il est ....

b. Anaïs accueille les clients avec le sourire et un mot gentil. Elle est ....

c. Depuis vingt ans, Corentin prépare toujours les mêmes plats de sa région. Sa cuisine est ....

d. Marine, qui voyage beaucoup, s'inspire des plats qu'elle a goûtés un peu partout dans le monde. Sa cuisine .... surprend toujours les clients.

e. Dans son petit restaurant pas cher, Germain prépare une cuisine simple, avec des produits frais, toujours .... à manger.

Vocabulaire

1. Apprenez le vocabulaire.

Poupée (n. f.)		Personnage (n. m.) ....
Autobiographie (n. f.)		Impression (n. f.) ....
Top-modèle (n. m.)		Attirer (v.) ....
Charme (n. m.)		Cacher (v.) ....
Discipline (n. f.)		Nommer (v.) ....
Coiffure (n. f.)		Accorder (v.) ....
Contrôleur (n. m.)		Résister (v.) ....
Impôt (n. m.)		Tromper (v.) ....
Mission (n. f.)		Originaire (adj.) ....
Province (n. f.)		Insensible (adj.) ....
Toit (n. m.)		Passionné (adj.) ....
Union (n. f.)		Stupide (adj.) ....
Égoïsme (n. m.)		Jaloux (adj.) ....
Réalité (n. f.)		Exprès (faire) (adv.) ....

2. Vérifiez la compréhension de la séquence 34 (Livre de l'élève, p. 97). Vrai ou faux ?

	VRAI	FAUX
a. Ludo n'aime pas le personnage de Xavier.	☐	☐
b. Ludo pense qu'on peut aimer deux personnes différentes à la fois.	☐	☐
c. Li Na trouve Jean-Louis sympathique.	☐	☐
d. Ludo pense que Jean-Louis est amoureux de Li Na.	☐	☐
e. Ludo n'est pas jaloux.	☐	☐
f. Li Na affirme qu'il n'y a rien entre Jean-Louis et elle.	☐	☐

3. Caractérisez. Complétez.
romantique ; sérieux ; égoïste ; infidèle ; sûr de lui ; incapable d'aimer
Regards féminins... Des hommes différents avec les femmes

a. Il ne pense qu'à lui. Il est ....

b. Lui, c'est le genre, « une femme dans chaque port ». Il est ....

c. Tu as vu comment il approche les filles. Il est incroyablement ....
Il pense toujours que toutes les filles vont tomber amoureuses de lui.

d. Avec lui, c'est tout de suite violon et Venise. Il est ....

e. Il faut toujours qu'il casse ce qui marche. Il est ....

f. Quand il s'engage, c'est un vrai choix. Il est .... Il pense qu'en amour
on doit être fidèle et qu'on doit s'engager pour la vie.

4. Trouvez le contraire.
dépendant ; pareil ; volage ; attentif ; fidèle ; malheureux

a. Il est sérieux. → ....

b. Elle est infidèle. → ....

c. Elle est heureuse. → ....

d. Elle est libre. → ....

e. Il est égoïste. → ....

f. Elle est différente des autres. → ....

5. Lisez ces extraits du *Guide des sorties en Île-de-France*. Trouvez un spectacle pour eux.

a. Ils veulent visiter Paris de manière originale. → ....

b. Elle aime le théâtre. → ....

c. Ils ne veulent pas manquer une exposition. → ....

d. Ils ont un nfant. → ....

e. Il adore l'opéra. → ....

f. Ils veulent voir un spectacle musical. → ....

g. Ils sont fous de cinéma. → ....

LE GUIDE DES SORTIES EN ÎLE-DE-FRANCE

SPECTACLE

• Folies Bergère
(1 679 places) 32, rue Richer (9e).
Mo Grands Boulevards ou Cadet.
08.92.68.16.50. (0,34 €/mn)
www.foliesbergere.com.
À 20h du Mer au Sam. À 16h Dim.
Pl. : 29 à 85 €. Du 21 avril au 12 juin :

**Love circus,
la comédie musicale**

D'Agnès Boury et Stéphane Laporte.
Mise en scène Stéphane Jarny. Avec
Lola Ces, Marie Facundo, Alexandre
Faitrouni, Fanny Fourquez, Vincent
Heden, Sofia Mountassir, Maximilien
Philippe, Golan Yosef, Suzanne
Meyer, Alicia Rault, Nadine Timas,
Alexandre Trovato, Tiago Eusebio,
David Girard, Simon Heulle, Vincent
Maggioni.
Deux sœurs extravagantes dirigent une revue inspirée des arts
du cirque.
Le retour de leur troisième sœur
va bouleverser leur vie. (Durée
2h10 avec entracte).

OPÉRA

• « Rigoletto »
De **Giuseppe Verdi**, Mise en scène :
Claus Guth, Dir : **Nicola Luisotti** et
Pier Giorgio Morandi. Avec le **Chœur
et Orchestre de l'Opéra national de
Paris.** Mer 20, Sam 23, Mar 26, 19h30.
Jusqu'au 30 mai. **Opéra-Bastille**,
place de la Bastille (12e). Mo Bastille.
0.892.89.90.90. Pl : 5 à 231 €.

CIRQUE

• Chapiteau du Cirque Romanès
Bd de l'Amiral-Briux (16e). Mo Porte
Maillot ; 01.40.09.24.20. Pl : 10 € à
20 €. Sam,Dim à 16h, Sam à 20h30 :

**Cirque Romanès –
La lune tzigane brille plus
que le soleil !**

Avec Cirque Romanès. Un joyeux
mélange de musiques, de danses
et d'étonnants numéros de cirque,
contorsion, funambule, trapèze,
rubans, diamantine, cerceaux, violon, contrebasse, accordéon, guitare,
clarinette, danse tzigane, danse flamenca... et Délia au chant avec ses
cinq filles et quelques chats... (1h30).
Dès 5 ans.

CINÉMA

• Les Fauvettes
58, av. des Gobelins. Mo Les Gobelins.
Pl. 12 €. Carte Le Pass : 21,90 €/mois ;
Le Livre de la jungle v.f. Séances :
10h45 (sf Jeu, Lun), 13h10 (Jeu,
Sam, Lun), 15h, 17h (sf Jeu,Dim).
**Il était une fois Roman Polanski : The
ghost writer** 10h50, 13h40, 16h15,
19h (sf Mer), 20h (Mer), 21h30
(sf Mer). Mer 20h (en présence
d'Alexandre Desplat). **Le pianiste**
v.o. Dim 20h15. **Chinatown** v.o. int.
-12 ans. 11h15, 14h, 16h40, 19h15,
21h50.
Les aventures de Robin des Bois v.o.
(Roman Polanski : mes influences)
Séances : Mer, Ven, Mar, Jeu, Sam
10h45, 12h40, 19h30, 21h45 ; Dim,
Lun.
Raging Bull v.o. (Séance Pass(ion) :
réservée aux abonnés Pass et leur
accompagnant) Jeu 20h.

BALADE CULTURELLE

**• Croisière : les chemins
de l'Impressionnisme
de la Normandie à Paris**
Les Vedettes de Paris, en partenariat
avec le Musée Jacquemart-André,
propose une balade fluviale
et terrestre sur les traces des
Impressionnistes. Jusqu'au 2 juillet.
Sam à 14h30. Entrée : 50 €. Bateaux
Vedettes de Paris. Port de Suffren
(7e). Mo Bir-Hakeim ou Trocadéro.
01.44.18.19.50.
www.vedettesdeparis.fr

THÉÂTRE

• La dernière bande de *Samuel
Beckett*
avec **Jacques Weber** – mise en
scène **Peter Stein**
L'Œuvre www.theatredeloeuvre.fr –
tel. 01.44.53.88.88

EXPOSITION

**Fondation CLAUDE
MONET À GIVERNY**

**La maison et les jardins
25 MARS > 1er NOVEMBRE
OUVERT TOUS LES JOURS
9H30 >18H
Tél : 02 32 51 28 21
www.claude-monet-giverny.fr**

Oral

N° 41

**1. Écoutez. Distinguez entre [ɛks] devant
une consonne et [ɛgz] devant une voyelle.
Cochez.**

Génial quoi !

	[ɛks]	[ɛgz]
a. Excellent.		
b. Sans accent.		
c. Sans exagération.		
d. Exceptionnel.		
e. Même avec exaspération.		
f. Excessif.		
g. Sans excuse.		
h. Mais toujours exact !		

N° 42

2. Écoutez le répondeur. Classez les informations.

Cette semaine au cinéma Normandie...

	Titre du film	Genre	Sujet	Acteurs / Actrices	Horaires
Salle 1					
Salle 2					
Salle 3					
Salle 4					

Vocabulaire

1. Apprenez le vocabulaire.

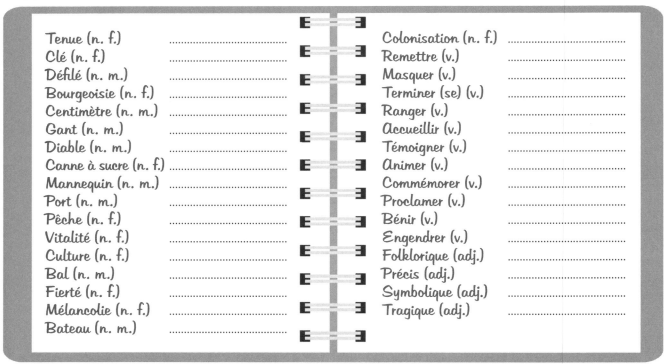

Tenue (n. f.) ....

Clé (n. f.) ....

Défilé (n. m.) ....

Bourgeoisie (n. f.) ....

Centimètre (n. m.) ....

Gant (n. m.) ....

Diable (n. m.) ....

Canne à sucre (n. f.) ....

Mannequin (n. m.) ....

Port (n. m.) ....

Pêche (n. f.) ....

Vitalité (n. f.) ....

Culture (n. f.) ....

Bal (n. m.) ....

Fierté (n. f.) ....

Mélancolie (n. f.) ....

Bateau (n. m.) ....

Colonisation (n. f.) ....

Remettre (v.) ....

Masquer (v.) ....

Terminer (se) (v.) ....

Ranger (v.) ....

Accueillir (v.) ....

Témoigner (v.) ....

Animer (v.) ....

Commémorer (v.) ....

Proclamer (v.) ....

Bénir (v.) ....

Engendrer (v.) ....

Folklorique (adj.) ....

Précis (adj.) ....

Symbolique (adj.) ....

Tragique (adj.) ....

2. Vérifiez la compréhension du mail (Livre de l'élève, p. 98). Associez les informations contenues dans le mail aux noms suivants.

a. Cayenne → ....

b. Guyane → ....

c. Carnaval → ....

d. Vaval → ....

e. Touloulou → ....

f. Mardi gras → ....

3. Du verbe au substantif. Formez des expressions.

a. Accueillir → **l'accueil** des visiteurs

b. Témoigner → .... des participants

c. Animer → .... des débats

d. Commémorer → .... des évènements

e. Proclamer → .... des résultats

f. Remettre → .... des diplômes

4. De l'adjectif au substantif. Complétez.

a. J'ai vu une pièce *tragique*. → C'est une belle **tragédie**.

b. La mort de son amie a été *dramatique* pour lui. → C'est le .... de sa vie.

c. Depuis un mois, Paul est très *mélancolique*. → Il est tombé dans la .... après sa séparation.

d. Elle fait partie de groupes *folkloriques*. → Elle adore le .... de sa région.

e. Dans ce film, il y a beaucoup de situations *comiques*. → C'est une bonne ....

5. Trouvez la suite. Associez.

a. 150 morts dans un accident d'avion...

b. Nous avions rendez-vous à 20 h. Ils ont deux heures de retard...

c. Dans ce film, le personnage perd son travail. Sa femme le quitte. On lui découvre une grave maladie...

d. Regarde : Louise et William sont ensemble ! ...

e. La réunion n'était pas préparée. Tout le monde parlait en même temps. On n'a pris aucune décision ! ...

1. Quel folklore !
2. Ils se moquent de nous !
3. Quelle tragédie !
4. Je n'en crois pas mes yeux !
5. Il y a de quoi déprimer !

6. COMPRENDRE DES INFORMATIONS SUR UNE FÊTE. Répondez aux questions.

LE « FAMADIHANA » À MADAGASCAR

Le « Famadihana », c'est la fête des morts à Madagascar. C'est une fête qui a lieu pendant la saison sèche, c'est-à-dire de juin à septembre. C'est la fête de l'exhumation des morts. On sort les morts de leur tombe. On change leurs habits, on leur demande leur bénédiction, on mange et on danse avec eux ; puis on les met dans un nouveau cercueil. Pendant cette fête, on mange du riz avec de la viande de bœuf, on boit du rhum, le « toaka gasy », et on danse sur une musique appelée « hira gasy ».

a. Où se passe la fête ?

....

b. Qu'est-ce qu'on fête ?

....

c. Quand a lieu la fête ?

....

d. Quel est le cérémonial de la fête ?

....

e. Que fait-on pendant la fête ?

....

Grammaire

1. RÉVISER LE FUTUR. Conjuguez.

a. Aller

J' .... en ville.

Nous .... à la campagne.

Ils .... au spectacle.

b. Avoir

Tu .... ta chance.

Elle .... son concours.

Vous .... votre diplôme.

c. Savoir

Je .... le dire.

Nous .... le faire.

Ils .... le trouver.

d. Pouvoir

Je .... venir aujourd'hui.

Nous .... vous aider.

Elles .... commencer demain.

e. Venir

Vous .... nous voir.

Ils .... au rendez-vous.

Tu .... chercher ton cadeau.

f. Être

Je .... présent.

Nous .... favorables à ce projet.

Elles .... contentes de voir la pièce.

g. Devoir

Il .... se faire accepter.

Nous .... nous imposer.

Vous .... vous affirmer.

h. Voir

Tu .... le médecin ?

Ils .... l'interprète ?

Vous .... le dentiste ?

Vocabulaire

1. Apprenez le vocabulaire.

Kiosque (n. m.)	Particulier (n. m.) ....
Marionnette (n. f.)	Retenir (v.) ....
Démonstration (n. f.)	Disparaître (v.) ....
Mur (n. m.)	Végétaliser (v.) ....
Tour de passe-passe (n. m.)	Embellir (v.) ....
	Concerner (v.) ....
Abri (n. m.)	Contribuer (v.) ....
Mammifère (n. m.)	Équiper (v.) ....
Oiseau (n. m.)	Encadrer (v.) ....
Tronçon (n. m.)	Animer (v.) ....
Barrière (n. f.)	Suffire (v.) ....
Marquage (n. m.)	Aveugle (adj.) ....
Marelle (n. f.)	Mobile (adj.) ....
Damier (n. m.)	Urbain (adj.) ....
Détente (n. f.)	Habituel (adj.) ....
Liberté (n. f.)	Aérien (adj.) ....
Terrain (n. m.)	Pétillant (adj.) ....
Ballon (n. m.)	Local (adj.) ....
Fontaine (n. f.)	Caritative (adj.) ....
Renaissance (n. f.)	Permanence (en) ....
Calendrier (n. m.)	

2. Vérifiez la compréhension du site internet (Livre de l'élève, p. 100). Dites si ces propositions sont vraies ou fausses.

	VRAI	FAUX
a. Redonner vie aux 33 kiosques parisiens.	❑	❑
b. Végétaliser une quarantaine de murs aveugles.	❑	❑
c. Offrir un espace public aux enfants pour le jeu en fermant définitivement une vingtaine de tronçons de rues parisiennes.	❑	❑
d. Installer des terrains sur les lignes de métro et sur la petite ceinture.	❑	❑
e. Embellir l'espace public en construisant une quarantaine de fontaines et en rénovant les fontaines de type Wallace.	❑	❑

3. COMPRENDRE DES FAITS DE CIVILISATION. Associez les mots suivants et leur explication.

a. Kiosque

b. Fontaine Wallace

c. Playground / City Stade

1. Construite au xixᵉ siècle sur les places, elle distribue l'eau gratuitement.

2. Terrains pour jeux de ballons.

3. Construction pour le divertissement, typique au xixᵉ et au début du xxᵉ siècle qui accueille des spectacles et des concerts

4. FAIRE DES PROJETS. **Complétez les propositions avec les verbes de la liste.**

végétaliser ; créer ; installer ; rénover ; améliorer ; équiper

Aménagements

a. .... le cadre de vie pour qu'il soit plus agréable.

b. .... les terrasses pour qu'elles soient vertes et ombragées.

c. .... de nouveaux espaces pour les vélos et les piétons.

d. .... les bâtiments publics de panneaux solaires.

e. .... des potagers urbains au pied des immeubles.

f. .... les vieux immeubles pour qu'on y vive mieux.

5. Remplacez les expressions soulignées par un adjectif de la liste.

local ; recyclable ; partagé ; sélectif ; équitable

Pour

a. Les produits issus du commerce <u>juste pour tout le monde</u> → ....

b. L'utilisation de sacs qui <u>peuvent être réutilisés</u> → ....

c. La consommation de la production <u>de la région</u> → ....

d. Les moyens de transports <u>qu'on utilise à plusieurs</u> → ....

e. Le tri <u>par type de déchet</u> → ....

6. Voici un texte de projet. Classez les informations qui servent à le décrire.

Pour une ville démontable

La Seine a inspiré un trio d'architectes italiens de l'agence MenoMenoPiù. Ils ont eu l'idée d'un projet d'hôtellerie éphémère qu'ils ont baptisé avec un joli jeu de mots « EauBerge ».

C'est une interprétation parisienne des fameux hôtels capsules japonais. Le trio a imaginé des cabines accrochées aux quais avec vue panoramique sur le fleuve. « On s'est inspiré des boîtes des bouquinistes accrochés le long des quais de Seine, disent-ils, pour créer cet hôtel en métal préfabriqué. C'est un projet low cost ; il pourrait être mis en place pour les grandes occasions comme la Coupe d'Europe de football ». « Selon moi, déclare Rocco Valentines, le concepteur de ce projet, la cité modulaire, c'est la vraie ville du futur. Parce qu'elle est en phase avec des besoins économiques qui changent tout le temps. »

a. Nom du projet : ....

b. Nature du projet : ....

c. Sources d'inspiration : ....

d. Intérêt du projet : ....

e. Utilité du projet : ....

COMPRÉHENSION DES ÉCRITS

Lisez cet article et répondez aux questions.

Le cinéma remonte les Champs-Élysées !

Cannes a sa Croisette, Deauville a ses Planches, Paris a les Champs-Élysées. Depuis 2012, le cinéma ouvre son très grand écran sur « la plus belle avenue du monde », « là où vivent les cinémas ». Du 7 au 14 juin 2016 se déroule la cinquième édition de ce jeune festival.

Un jeune festival qui diffuse des films français et des films américains. Au programme cette année, des avant-premières de grosses productions, des films indépendants qui ont leur festival, des films classiques autour d'un thème (Chicago) et une « programmation jeune public ».

Le festival se veut aussi un lieu de rencontres : rencontres avec les acteurs et les réalisateurs des nouveaux films, master class de Abel Ferrara et de Nicole Garcia, invité d'honneur (le réalisateur Abel Ferrara)…

Le festival est aussi une compétition pour les films américains indépendants avec, cette année, un jury présidé par l'actrice et réalisatrice française Nicole Garcia et le réalisateur et producteur Alexandre Aja. Au total, plus de 80 films projetés, 100 séances dans toutes les salles des Champs-Élysées.

Informations pratiques
www.champselyseesfilmfestival.com
Les salles : UGC Georges V, Publicis cinémas, Le Balzac, Le Lincoln, Gaumont Ambassade et Marignan
Les lieux : Wifi Café Orange
Pass moins de 26 ans : 35 € et Pass premium : 50 €

a. Où a lieu le festival ?

....

b. Le festival est réservé...
   ❑ aux films français.
   ❑ aux films français et aux films américains.

c. Le festival montre...
   ❑ des films indépendants.
   ❑ des master class.
   ❑ des films classiques autour du thème de Chicago.
   ❑ des films européens.

d. Le festival...
   1. projette .... films.
   2. organise .... séances.

e. Où pouvez-vous trouver la programmation ?

....

f. Quel est le coût pour le spectateur ?

....

COMPRÉHENSION DE L'ORAL

Vous entendez ces messages. Lisez les questions. Écoutez le document puis répondez aux questions.

N° 43

	Annonce 1	Annonce 2	Annonce 3
a. Objet de l'annonce			
b. Nom du lieu			
c. Qui communique avec qui ?			
d. Date de l'évènement			
e. Informations pratiques			
f. Coordonnées			

PRODUCTION ÉCRITE

Raconter une expérience
Vous avez vu un film ou un autre spectacle (pièce de théâtre, concert, comédie musicale...).
Vous écrivez à un ami pour lui raconter l'histoire. Vous expliquez aussi ce que vous avez aimé
ou ce que vous n'avez pas aimé. (60 mots minimum)

....

....

....

....

....

....

....

....

....

....

PRODUCTION ORALE

Monologue suivi
Parlez d'un film ou d'une série que vous avez vu(e) récemment. Est-ce que vous conseillerez à un(e) ami(e)
d'aller voir ce film ou de regarder cette série ? Pourquoi ?

Vocabulaire

1. Apprenez le vocabulaire.

Bazar (n. m.)	....	Mesurer (v.)	....
Porte-clés (n. m.)	....	Ressembler (v.)	....
Courrier (n. m.)	....	Large (adj.)	....
Toile (n. f.)	....	Épais (adj.)	....
Dimension (n. f.)	....	Rond (adj.)	....
Matière (n. f.)	....	Carré (adj.)	....
Cuir (n. m.)	....	Rectangulaire (adj.)	....
Métal (n. m.)	....	Triangulaire (adj.)	....
Sonner (v.)	....	Foncé (adj.)	....
Élargir (v.)	....		

2. Vérifiez la compréhension de la séquence 35 (Livre de l'élève, p. 106). Répondez aux questions.

a. Pourquoi Mme Dumas n'est-elle pas contente ?

....

b. À qui appartient...

... le parapluie : ....

... l'écharpe : ....

... le portable : ....

... le porte-clés : ....

c. Qu'est-ce que Mme Dumas apprend en lisant la lettre ?

....

3. Sur un panneau de la fac « PERDU », des post-it signalent des objets perdus. Classez les informations dans le tableau suivant.

a **CHERCHE**
attaché-case en métal, rectangulaire, couleur bleu acier, environ 50 cm de large.
Il y a mes cours de droit et mon Dalloz.
Mon portable :
06 42 21 31 62

b J'ai perdu :
porte-documents noir, en cuir souple dimension ordinateur portable (~40 cm)
Tél : 06 26 13 12 24

c MERCI !
Si vous avez trouvé ma veste...
Elle est rayée bleu marine et blanc, longue, en laine avec de gros boutons rouge marine
Je suis joignable au :
06 13 62 24 21

d VOUS AVEZ TROUVÉ ?
Sac d'architecte (carré, 0,80 m x 0,80 m, en toile rigide, jaune fluo)
Vous ne pouvez pas le rater !!!
Merci de m'appeler :
06 22 11 24 36
Il y a mon projet de fin d'année dedans...

	Objet	Forme	Dimension	Matière	Couleur
a.					
b.					
c.					
d.					

4. Décrire un objet - La forme. Caractérisez avec un adjectif de la liste.

carré ; rectangulaire ; rond ; triangulaire

a. un lit de 2 m x 2 m → ....

b. un ballon → ....

c. une table de 2 m x 1 m → ....

d. un panneau de signalisation → ....

5. Décrire un objet - La matière. Caractérisez avec un mot de la liste.

en bois ; en coton ; en cuir ; en laine ; en métal

a. un pull d'hiver → ....

b. une chemise d'été → ....

c. un canapé → ....

d. une porte → ....

e. une clé → ....

6. Trouvez le verbe qui correspond aux adjectifs. Complétez l'expression qui donne un sens figuré au verbe.

a. Large → Grâce à ses lectures, il a .... son horizon.

b. Long → Parce qu'il n'a pas grand-chose à dire, il a .... la sauce.

c. Haut → Il a voulu faire prendre conscience de la situation, il a .... son propos.

d. Lourd → Pour mieux prouver ce qu'il dit, il .... la phrase.

e. Gros → Pour rendre ce portrait peu sympathique, il a .... le trait.

Grammaire

1. Répondez avec un pronom possessif.

Présentation

a. C'est ta maison ? **Oui**, ...

b. C'est sa femme ? Oui, ...

c. C'est votre jardin ? Oui, ...

d. Ce sont ses enfants ? Oui, ...

e. Ce sont les bicyclettes de vos enfants ? Oui, ...

f. Ce sont vos voitures ? Oui, ...

2. À qui ça appartient ? Confirmez avec un pronom possessif.

a. C'est mon portable. → ....

b. C'est leur voiture. → ....

c. C'est notre ordinateur. → ....

d. Ce sont ses skis. → ....

e. C'est sa valise. → ....

f. Ce sont leurs livres. → ....

3. Complétez avec : *appartenir à, posséder, être à, faire partie de.*

a. Il .... toute la collection des BD de *Valérian*.

b. Elle .... d'une association de défense de l'environnement.

c. Cette voiture .... à un collectionneur.

d. Cette montre .... à elle.

e. Il .... d'une association de quartier.

f. Elle .... un dessin d'un artiste connu.

Oral

1. Écoutez. Distinguez [jɛ̃] et [jɛn]. Cochez.

N° 44 *Ils vont en couple.*

	[jɛ̃]	[jɛn]
a. Elle, c'est Fabienne, lui, c'est Julien.		
b. Il est technicien, elle est esthéticienne.		
c. Elle est pharmacienne, il est médecin.		
d. Il est académicien, elle est chirurgienne.		
e. Elle est mathématicienne, il est marin.		
f. Il est brésilien, elle est italienne.		

2. À qui est-ce ?

N° 45

a. – Ce sac, il est à vous ?

– ....

b. – Ces livres, ils sont à vous ?

– ....

c. – Cette montre, elle est à lui ?

– ....

d. – Ces valises, elles sont à eux ?

– ....

e. – Ces casquettes, ce sont les vôtres ?

– ....

Vocabulaire

1. Apprenez le vocabulaire.

Défense (n. f.) ....   Dépasser (v.) ....
Prière (n. f.) ....   Défendre (v.) ....
Pelouse (n. f.) ....   Interdire (v.) ....
Moteur (n. m.) ....

2. AUTORISER / INTERDIRE. **Relevez les expressions ; classez-les.**

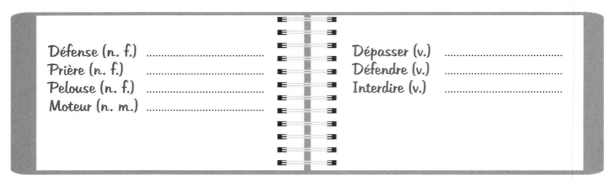

J'ai le plaisir de vous confirmer l'autorisation de filmer à l'intérieur du château.

Je vous rappelle qu'il est défendu de photographier les œuvres sans autorisation.

ACCÈS AUTORISÉ SEULEMENT AUX PERSONNES MUNIES D'UN BADGE

Je vous confirme que vous pourrez assister aux essais.

Je vous signale qu'il est interdit de visiter le parc en voiture.

Je te défends de sortir sans mon accord.

Pas de permission de sortie ce soir !

Je vous rappelle que l'interdiction de pénétrer dans l'entreprise sans autorisation reste la règle.

J'ai l'honneur de vous annoncer qu'il vous sera permis d'assister à la conférence en principe réservée aux membres de l'association.

DÉFENSE D'ENTRER

a. Autoriser : ....
b. Défendre : ....

3. Complétez avec les expressions de l'interdiction.

a. Il .... de doubler.

b. Les chiens ne sont pas ....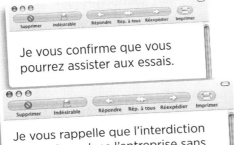

c. .... de stationner devant cette porte de jour comme de nuit.

d. Il .... d'enregistrer ou de photographier pendant le spectacle.

e. .... aux véhicules non autorisés.

f. Attention ! Danger ! .... dépasser cette limite.

4. Utilisez les verbes : *interdire, autoriser, permettre, pouvoir, avoir / ne pas avoir le droit.*

a. Je vous .... de prendre la parole ! Vous n'êtes pas le bienvenu.

b. Je vous .... à venir. Votre présence semble souhaitée.

c. Je ne .... pas vous refuser l'entrée.

d. Vous .... de me dire ça... Pas vous.

e. Je vous confirme qu'il vous est .... d'enregistrer.

Grammaire

1. Répondez avec *autoriser, défendre, interdire* en utilisant les pronoms indirects et directs.

a. – Tu interdis à Julie de sortir ?
– **Oui, je lui interdis.**

b. – Vous défendez aux enfants de faire du stop ?
– Oui, ...

c. – Ils autorisent Léo à venir ?
– Oui, ...

d. – Elle défend aux étudiants de laisser leur portable allumé ?
– Oui, ...

e. – Vous interdisez aux participants de prendre des notes ?
– Oui, ...

f. – Tu autorises Rose à prendre l'avion toute seule ?
– Oui, ...

2. Complétez avec une forme impersonnelle.

a. Beau temps demain → **Demain, il fera beau.**

b. Interdiction → En ville, ... de rouler à plus de 30 à l'heure.

c. Obligation → En voiture, ... d'attacher la ceinture.

d. Possibilité → En fin de semaine, ... que nous allions à la campagne.

e. Nécessité → Pour réussir, ... travailler.

f. Bon projet → .... de se voir de temps en temps.

3. Apprenez la conjugaison des verbes *interdire, défendre, autoriser*. Complétez.

a. Interdire

Tu .... l'alcool.

Elle .... la cérémonie.

Vous .... l'exposition.

Ils .... le film.

b. Défendre

Je .... mes intérêts.

Tu .... tes positions.

Nous .... nos clients.

Elles .... leur directeur.

c. Autoriser

Elle .... l'usage du portable.

Nous .... la mise en œuvre de la solution.

Vous .... l'inscription à l'épreuve.

Ils .... la réunion des étudiants.

Oral

1. Demander l'autorisation. Écoutez et notez les éléments.

N° 46

	Scène 1	Scène 2
a. Qui demande		
b. À qui		
c. Quoi		
d. Avec quel résultat		

2. Relevez les mots de l'autorisation et de l'interdiction.

N° 46

• Scène 1 : ....

• Scène 2 : ....

Vocabulaire

1. Apprenez le vocabulaire.

Pétition (n. f.)	Droit (avoir le) (v.) ....
Loi (n. f.)	Opposer (s') (v.) ....
Utilité (n. f.)	Résoudre (v.) ....
Signature (n. f.)	Développer (v.) ....
Municipalité (n. f.)	Alterner (v.) ....
Pourcentage (n. m.)	Démolir (v.) ....
Système (n. m.)	Dater (v.) ....
Péage (n. m.)	Faire face (v.) ....
Résident (n. m.)	Prêter (v.) ....
Prêt (n. m.)	Disparaître (v.) ....
Accès (n. m.)	Égal (adj.) ....
Signer (v.)	Négatif (adj.) ....
Tort (avoir) (v.)	Financier (adj.) ....

2. Vérifiez la compréhension de la séquence 36 (Livre de l'élève, p. 110). Choisissez la bonne réponse.

a. La mairie veut...
   ❑ fermer la rue.
   ❑ élargir la rue.
b. Les habitants sont...
   ❑ pour.
   ❑ contre.

c. La mairie...
   ❑ a le droit.
   ❑ n'a pas le droit.
d. Le passant...
   ❑ soutient la pétition.
   ❑ ne soutient pas la pétition.

3. Juger une action. Complétez avec les expressions.
ça m'est égal ; il a raison ; ça dépend de la situation ; ce n'est pas juste ; elle a le droit ; je suis contre

Mobilisation

a. Je soutiens la pétition contre la destruction des espaces verts. → ....

b. Ils peuvent faire ce qu'ils veulent. → ....

c. Il faudrait voir. → ....

d. Le maire n'a pas soumis la décision au vote du conseil municipal. → ....

e. Les habitants disent que c'est contraire au droit. → ....

f. L'opposition proteste contre cette décision. → ....

4. Du verbe au substantif. Complétez les expressions.

Conflit

a. Disparaître → .... du quartier.

b. Opposer → .... au projet.

c. Indemniser → .... des habitants.

d. Manifester → .... des opposants.

e. Adopter → .... d'une motion de protestation.

f. Résoudre → .... du conflit.

Grammaire

1. Voici des données chiffrées. Reformulez ces données à l'aide des mots indéfinis de quantité.

aucune... ne... ; beaucoup de... ; certains ; la plupart des... ; peu de... ; plusieurs ; quelques uns ; tous ; toutes

Ah ! L'argent !

a. Pour 100 % des gens, l'argent est un sujet de réflexion.

....

b. 85 % des gens pensent que l'argent permet de faire de vrais choix.

....

c. 60 % des titulaires d'un compte en banque ont confiance dans leur banque.

....

d. 20 % des gens ne pourraient pas sortir sans leur carte bancaire.

....

e. 10 % des consommateurs se sentent incapables de faire des économies.

....

f. 5 % des conjoints dans un couple ont tendance à penser que leur conjoint est dépensier.

....

g. 0 % des salariés compte sur leur charme pour obtenir une augmentation.

....

Oral

1. Différenciez [ɲ] et [n]. Écoutez et cochez.

N° 47   *Il nomme...*

	[ɲ]	[n]
a. Qu'on le plaigne.		
b. Qu'on le craigne.		
c. Ne le négligez pas.		
d. C'est un signe.		
e. Qu'on le soigne.		
f. Qu'on le dédaigne.		
g. Ne le niez pas.		
h. Et n'ignorez pas qu'il pourrait vous nuire.		

2. Écoutez et soulignez les groupes « consonne + *r* + voyelle » comme dans « programme ».

N° 48

a. Drôle de drame

b. Vraiment

c. Crois-moi

d. Trop grand

e. Très gros

f. Trop cruel

Vocabulaire

1. Apprenez le vocabulaire.

Écologiste (n. m.) ....

Intention (n. f.) ....

Plainte (n. f.) ....

Centenaire (n. m.) ....

Guerre (n. f.) ....

Hommage (n. m.) ....

Soldat (n. m.) ....

Nuisance (n. f.) ....

Protection (n. f.) ....

Fragment (n. m.) ....

Poison (n. m.) ....

Biodiversité (n. f.) ....

Époque (n. f.) ....

Comportement (n. m.) ....

Table (n. f.) ....

Malheur (n. m.) ....

Interlocuteur (n. m.) ....

Lâcher (v.) ....

Constituer (v.) ....

Servir (v.) ....

Serrer (v.) ....

Risquer (v.) ....

Marin (adj.) ....

Sucré (adj.) ....

Heureusement (adv.) ....

2. Vérifiez la compréhension de l'article (Livre de l'élève, p. 112). Relisez l'article et répondez aux questions.

a. Qui porte plainte ? ....

b. Contre qui ? ....

c. À propos de quoi ? ....

d. À quelle occasion ? ....

e. Pour quelles raisons ? ....

3. Juger un comportement. Qu'est-ce qu'il fait quand il dit... ? Associez.

a. « Cette attitude n'est pas tolérable et mérite d'être punie. »   **1.** Il porte plainte.

b. « Je ne peux pas accepter votre invitation. »   **2.** Il refuse.

c. « Vous pouvez compter sur mon appui. »   **3.** Il s'oppose.

d. « Je vais vous faire un procès. »   **4.** Il juge.

e. « J'ai vu ce film. Il est nul. »   **5.** Il soutient.

f. « Je ne suis pas d'accord avec ce projet. »   **6.** Il condamne.

4. Exprimez la ressemblance et la différence avec les expressions : *différent, le / la même, ressembler à, comme, faire pareil*.

a. Elles ont la même forme de visage et la même expression ; elles ....

b. Ils ne sont jamais d'accord sur rien, ils ....

c. Quand une commence une phrase, l'autre la finit ! Elles pensent .... chose.

d. Clara a changé de lunettes. Justine a ....

e. Louis fait du canyoning .... Vincent.

f. Ils ont chacun une voiture ; ils n'en font pas .... usage.

5. Des comportements et des conseils. **Prescrivez à l'impératif.**

Osez changer !

a. *(faire quelque chose de différent chaque jour)*

....

b. *(ne plus lire son horoscope)*

....

c. *(exprimer ses désirs à son partenaire)*

....

d. *(oublier de faire le ménage le samedi matin)*

....

e. *(décider d'une journée sans mail et sans ordinateur)*

....

f. *(trouver un loisir inutile)*

....

Grammaire

1. Complétez. Utilisez le subjonctif.

a. Avoir

Je voudrais que tu .... les résultats de la négociation.
Oui, il faut que je les .... ce soir.
Oui, demain, il faut que nous .... le contrat.
Il faut que vous .... l'accord des partenaires.
D'accord, mais il faut qu'ils .... le temps de réfléchir !

b. Faire

Qu'est-ce que tu veux que je .... ?
Je veux que tu .... un procès.
Mais qu'est-ce que tu veux que nous .... ?

Je veux que vous .... une déposition.
Et eux qu'est-ce que tu veux qu'ils .... ?
Je veux qu'ils ne .... rien.

c. Être

Comment tu veux que je .... ?
Il faut que tu .... aimable.
Et nous, comment tu veux que nous .... ?
Je veux que vous .... coopératifs.
Et elles, comment tu veux qu'elles .... ?
Je veux qu'elles .... professionnelles.

Écrit et civilisation

1. Refuser les règles. **Lisez l'article et recherchez dans le texte les informations suivantes.**

Un salarié d'EDF refuse de couper le courant, il risque le licenciement

Arcueil, Val de Marne. Un salarié de 23 ans technicien d'ERDF/GDF (Électricité / Gaz de France) risque d'être licencié prochainement pour avoir refusé de limiter la consommation d'énergie d'une dizaine d'usagers en situation d'impayés.

Ce technicien devait obtenir le paiement des factures ou, à défaut, de « couper » le courant, en limitant la consommation d'énergie. Le jeune homme, confronté à des situations très difficiles, n'a pas pu se résoudre à effectuer sa tâche et ce, à plusieurs reprises.

En effet, selon lui, le service minimum prévu en cas de non paiement est de 1 kW, ce qui est bien trop insuffisant pour pouvoir se chauffer.

Pour la direction, le technicien n'a pas « respecté ses objectifs » et souhaite donc le licencier.

D'après La dépêche, ladepeche.fr

a. Tâche du technicien : ....

....

....

b. Règle qu'il doit appliquer : ....

....

....

c. Attitude adoptée : ....

....

d. Raisons de son refus : ....

....

e. Sanctions possibles : ....

....

....

Vocabulaire

1. Apprenez le vocabulaire.

Épouse (n. f.)	....	Gendarmerie (n. f.)	....
Noce (n. f.)	....	Décevoir (v.)	....
Expédition (n. f.)	....	Attribuer (v.)	....
Pirogue (n. f.)	....	Prévoir (v.)	....
Prestation (n. f.)	....	Réclamer (v.)	....
Assurance (n. f.)	....	Effectuer (v.)	....
Compagnie (n. f.)	....	Conseiller (v.)	....
Consulat (n. m.)	....	Sympathique (adj.)	....
Pompier (n. m.)	....	Antipathique (adj.)	....
Police (n. f.)	....	Agressif (adj.)	....
Agression (n. f.)	....	Serviable (adj.)	....
Commissariat (n. m.)	....	Complet (adj.)	....

2. Du verbe au substantif. Complétez les expressions.

Voyage

a. Réclamer → poser ....

b. Annuler → faire ....

c. Confirmer → envoyer ....

d. Indemniser → obtenir ....

e. Décevoir → exprimer sa ....

f. Rembourser → demander ....

**3. Exprimer sa déception. Que dites-vous dans les situations suivantes ?
Utilisez les expressions de l'encadré « Pour s'exprimer » de la p. 114 (Livre de l'élève).**

a. Vous vouliez assister à un concert. Il n'y a plus de place.

....

b. Vous avez commandé une chemise sur un site internet. Vous recevez un pull.

....

c. Vous avez réservé une chambre d'hôtel avec vue sur la mer. On vous donne une chambre qui donne sur le parking.

....

d. Votre amie a oublié votre anniversaire.

....

4. CARACTÉRISER. Complétez avec les adjectifs de la liste.

agressif ; antipathique ; injuste ; pas serviable ; sympathique

a. Le directeur avait toujours un mot gentil pour les clients, il était très ....

b. À la plage, il était parfois difficile d'obtenir des serviettes de bain ;
le personnel de plage n'était .... très ....

c. Le serveur du restaurant ne souriait jamais ; il était ....

d. Le concierge était en colère quand on rentrait tard ; il était ....

e. L'animateur ne s'intéressait qu'aux jolies jeunes filles. C'était ....

5. Trouvez le contraire.

Un hôtel catastrophique	**Un hôtel agréable**
Il y a du bruit.	....
La chambre est sale.	....
Le lit est en mauvais état.	....
La climatisation est cassée.	....
La télé ne marche pas.	....
La vue est laide.	....

6. COMPRENDRE LES INFORMATIONS DU POINT INFOS (Livre de l'élève, p. 115).

a. À quoi correspondent ces numéros ?

15 : ....
18 : ....
17 : ....
112 : ....

b. À qui s'adresser...

... en cas de vol en ville : ....
....

... en cas d'agression dans un village : ....
....

... en cas de vol dans un village : ....
....

... en cas d'agression en ville : ....
....

c. À quoi sert l'INC (Institut national de la consommation) ?
....
....

d. Qu'est-ce qu'on trouve sur le site www.service-public.fr ?
....
....

Le guide de la défense du consommateur

ooreka

Vos questions sont entre de bonnes mains

COMPRÉHENSION DES ÉCRITS

Lisez l'article et répondez aux questions.

DROITS ET DEVOIRS DES PARENTS

C'est aux parents d'exercer l'autorité. Avec un objectif : protéger l'enfant dans sa sécurité, sa santé et sa moralité. Mais aussi assurer son éducation et permettre son développement.

✓ **Fixer la résidence de l'enfant**

L'enfant a l'obligation de résider avec ses parents. Mais ils peuvent l'autoriser à vivre ailleurs pour un apprentissage, un travail, pour les vacances ou pour aller en internat dans un lycée. L'enfant peut cependant demander une certaine autonomie quand il grandit, d'être associé aux décisions qui le concernent.

✓ **Scolariser et éduquer**

Les parents ont ici un rôle essentiel : l'éducation comprend aussi l'éducation morale, civique, religieuse, sexuelle… Ils ont l'obligation d'inscrire l'enfant à l'école entre 6 et 16 ans. Ils peuvent aussi décider de l'éduquer chez eux.

✓ **Entretenir**

Dans la limite des moyens financiers, les parents doivent assurer aux enfants un niveau de vie suffisant. Il s'agit bien sûr de les nourrir mais aussi de couvrir leurs frais d'études et d'instruction en général, de vacances et de santé. Mais les enfants peuvent consulter seuls un médecin et ouvrir un compte en banque à 12 ans et disposer d'une carte bancaire à partir de 16 ans.

D'après *Dossier familial*

a. Quels sont les trois domaines où s'exerce l'autorité des parents ?

....

....

b. L'enfant peut quitter l'habitat de ses parents pour...
- ❑ vivre chez ses cousins.
- ❑ vivre en internat au lycée.
- ❑ aller en apprentissage.
- ❑ habiter chez des amis.
- ❑ partir en vacances.

c. À quel âge les parents ont-ils l'obligation d'inscrire les enfants à l'école ?

....

....

d. Quels sont les domaines couverts par la responsabilité financière des parents ?

....

....

e. Quels sont les droits des enfants en matière de santé et de banque ?

....

....

COMPRÉHENSION DE L'ORAL

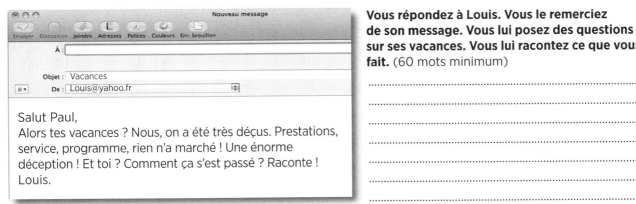

n° 49

Vous écoutez la radio. Lisez les questions. Écoutez le document puis répondez aux questions.

a. Associez le domaine de la surprise et le témoignage.

	Femme	Homme 1	Homme 2
1. le déroulement d'une réunion			
2. le déroulement d'un entretien			
3. le rapport à la ponctualité			

b. En Sicile, une réunion programmée à 9 h peut commencer à ....

c. Au Japon...

	VRAI	FAUX
1. les collaborateurs prennent la parole chacun à leur tour.	❑	❑
2. seul le responsable parle.	❑	❑

d. Au Moyen-Orient, l'important...

	VRAI	FAUX
1. c'est le contenu de l'accord.	❑	❑
2. ce sont les considérations générales.	❑	❑
3. c'est la partie professionnelle.	❑	❑
4. ce sont les marques d'attention.	❑	❑

e. Associez un pays à chacune des remarques.

1. Les gens sont délicieux et d'une sociabilité extrême. → ....

2. Impossible de séparer le rituel social du temps de travail. → ....

3. Tout est extrêmement ritualisé. → ....

PRODUCTION ÉCRITE

Répondre à un message. Réagir.

Nouveau message

Envoyer Discussion Joindre Adresses Polices Couleurs Enr. brouillon

À :

Objet : Vacances

De : Louis@yahoo.fr

Salut Paul,
Alors tes vacances ? Nous, on a été très déçus. Prestations, service, programme, rien n'a marché ! Une énorme déception ! Et toi ? Comment ça s'est passé ? Raconte !
Louis.

Vous répondez à Louis. Vous le remerciez de son message. Vous lui posez des questions sur ses vacances. Vous lui racontez ce que vous avez fait. (60 mots minimum)

....
....
....
....
....
....
....

PRODUCTION ORALE

Interagir

Vous avez un petit job dans un grand magasin en France. Vous avez besoin de prendre un jour de congé pour passer un examen. Vous demandez à parler avec votre responsable : vous discutez de la date et du motif de votre absence.

Unité 8 - Leçon 1 - Parler d'un voyage

Vocabulaire

1. Apprenez le vocabulaire.

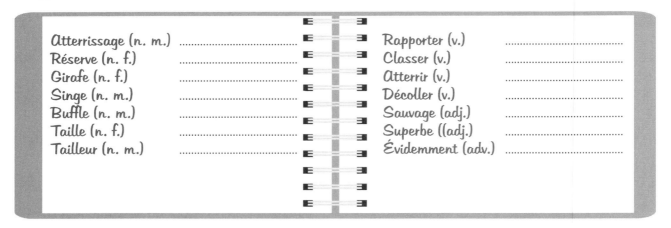

Atterrissage (n. m.) ....
Réserve (n. f.) ....
Girafe (n. f.) ....
Singe (n. m.) ....
Buffle (n. m.) ....
Taille (n. f.) ....
Tailleur (n. m.) ....

Rapporter (v.) ....
Classer (v.) ....
Atterrir (v.) ....
Décoller (v.) ....
Sauvage (adj.) ....
Superbe ((adj.) ....
Évidemment (adv.) ....

2. Vérifiez la compréhension de la séquence 37 (Livre de l'élève, p. 120).

a. Associez les informations aux lieux et aux personnes.
- Dakar : ....
- Bandia : ....
- Saloum : ....
- Amidou : ....

b. Quel cadeau madame Dumas a rapporté à Mélanie ?

....

c. Quelle nouvelle Mélanie annonce à madame Dumas ?

....

3. Du verbe au substantif. Trouvez le substantif et complétez les expressions pour l'emploi de ces substantifs dans d'autres contextes que celui du déplacement.

a. Partir → .... pour l'inconnu.

b. S'arrêter → .... de travail.

c. Arriver → .... du printemps.

d. Monter → .... de la colère.

e. Descendre → .... de police.

f. Entrer → .... dans la vie.

g. Sortir → .... de l'enfance.

h. Décoller → .... du projet.

4. Complétez ce récit de voyage avec les verbes de mouvement de l'encadré « Pour s'exprimer » p. 121 (Livre de l'élève).

Nous sommes partis de Prades vers 5 h du matin pour faire l'ascension du Canigou dans cette magnifique région des Pyrénées orientales.

Nous ....
jusqu'au chalet des Cortalets qui se situe à 2 200 mètres.

Nous ....
la forêt par une route assez difficile.

Nous ....
pour admirer le paysage.

Puis, nous ....
pour la dernière partie de l'ascension.

Après 2 heures de marche, nous ....
au sommet du Canigou à 2 800 mètres d'altitude. La vue est magnifique.

On aperçoit tous ces villages avec leurs clochers de style roman, caractéristique de la région.

Nous .... après avoir petit déjeuné au sommet.

Nous .... par un chemin assez difficile en direction de Vernet-les-Bains.

En descendant, nous .... le flan de la montagne. Nous apercevions tout en bas nos amis qui faisaient leur partie matinale de tennis.

5. **Répétition ou retour ? Cochez.**

	Répétition	Retour au point de départ
a. J'ai revu Juliette avec plaisir.		
b. Je l'ai retrouvée comme elle était il y a un an.		
c. Nous nous sommes promenés mais, à cause de la pluie, nous sommes rentrés rapidement.		
d. J'ai redécouvert ses qualités.		
e. Nous avons repris notre relation.		

Grammaire

1. Racontez. Mettez les verbes aux temps qui conviennent.

Retour à Rome

Il faisait beau comme sont beaux les automnes romains. J' *(retrouver)* .... la ville après quelques années d'infidélité.

C'*(être)* .... la même impression toujours recommencée.

Aujourd'hui, ma propre mémoire *(se superposer)* .... à celle de la ville.

Je *(se promener)* .... Via Margutta puis Via Salaria à la recherche des fantômes de Fellini et de Visconti qui *(illuminer)* .... mon adolescence.

Rome *(être)* .... toujours pour moi la ville où l'on *(rouler)* .... en vespa et où des jeunes filles et des jeunes gens, toujours en groupes, *(manger)* .... des glaces.

Mes rêveries de cinéma m' *(conduire)* .... jusqu'à Cinecittà. Un joli musée fait revivre les grandes heures du studio.

C'*(être)* .... le temps où le cinéma *(ressembler)* .... à la ville.

Des empereurs *(défiler)* .... sous des arcs de triomphe et la *dolce vità* *(refléter)* .... son art de vivre.

2. Utilisez la forme « *faire* + infinitif » dans les situations suivantes.

a. En cuisine : vous *(chauffer)* .... le four ; vous *(cuire)* .... les légumes ; vous *(griller)* .... le poisson.

b. Dans l'entreprise : le directeur *(concevoir)* .... des produits.

c. En politique : le gouvernement *(voter)* .... des lois.

Oral

1. Répondez en utilisant l'enchaînement « *faire* + infinitif ».

N° 50

a. – Vous organisez tout vous-même ?

– **Non, je fais tout organiser.**

b. – Vous gérez tout vous-même ?

– ....

c. – Vous rangez tout vous-même ?

– ....

d. – Vous portez tout vous-même ?

– ....

e. – Vous achetez tout vous-même ?

– ....

f. – Vous faites tout vous-même ?

– ....

Vocabulaire

1. **Apprenez le vocabulaire.**

Variété (n. f.)	Raquette (n. f.) ....
Cap (n. m.)	Chute (n. f.) ....
Falaise (n. f.)	Delta (n. m.) ....
Golfe (n. m.)	Fleuve (n. m.) ....
Éclair (n. m.)	Mont (n. m.) ....
Littoral (n. m.)	Pic (n. m.) ....
Ras (n. m.)	Façade (n. f.) ....
Flot (n. m.)	Épanouir (s') (v.) ....
Quête (n. f.)	Résumer (v.) ....
Vignoble (n. m.)	Souffrir (v.) ....
Verger (n. m.)	Atteindre (v.) ....
Plaine (n. f.)	Ramasser (v.) ....
Monotonie (n. f.)	Déserter (v.) ....
Calcaire (n. m.)	Réchauffer (v.) ....
Pointe (n. f.)	Vaste (adj.) ....
Péninsule (n. f.)	Divin (adj.) ....
Tempérament (n. m.)	Maritime (adj.) ....
Maquis (n. m.)	Montagneux (adj.) ....
Luminosité (n. f.)	Éclatant (adj.) ....
Torrent (n. m.)	Paisible (adj.) ....
Havre (n. m.)	Solitaire (adj.) ....
Avantage (n. m.)	Sublime (adj.) ....
Inconvénient (n. m.)	Bref (adj.) ....
Foule (n. f.)	Proche (adj.) ....
Châtaigne (n. f.)	Contrasté (adj.) ....

2. **Vérifiez la compréhension du guide touristique (Livre de l'élève, p. 122).**
Relisez le texte et remplissez la carte d'identité de la Corse à l'aide des informations du texte.

a. Longueur : ....

b. Largeur : ....

c. Longueur des côtes : ....

d. Hauteur du Mont Cinto : ....

e. Sites remarquables : ....

f. Climat et température :

  – Printemps : ....

  – Été : ....

  – Automne : ....

  – Hiver : ....

3. Définir. Associez.

a. Un cap
b. Une falaise
c. Un golfe
d. Une péninsule
e. Un volcan

1. Bassin naturel où la mer pénètre à l'intérieur des terres.
2. Montagne d'où s'échappent des matières brûlantes ou des fumées.
3. Pointe de terre qui avance dans la mer.
4. Mur rocheux qui descend verticalement dans la mer.
5. Espace que la mer entoure de tous côtés.

4. Des emplois différents des mots du relief. Complétez avec les mots de la liste.

la pointe ; le cap ; un maquis ; un pic ; un torrent

a. Le gouvernement est très critiqué mais il continue la même politique. Il garde ....

b. Cette entreprise sait créer de nouveaux produits. Elle est à .... de l'innovation.

c. Ma voiture a heurté l'arrière d'une autre voiture. L'automobiliste s'est mis en colère. Il a été grossier et a déversé sur moi .... d'injures.

d. Pour avoir certaines autorisations, il faut affronter l'administration et s'engager dans .... de procédures.

e. Avec 70 % d'opinions favorables, le Premier ministre a atteint .... de popularité.

Grammaire

1. Conjuguez.

a. Pleuvoir

Avant, il ....

Demain, il ....

Je voudrais qu'il ....

b. Faire beau

Maintenant, il ....

Hier, il ....

Je voudrais qu'il ....

c. Neiger

Maintenant, il ....

Hier, il ....

Avant, il ....

Demain, il ....

Je voudrais qu'il ....

d. Il y a du vent

Maintenant, ...

Hier, ...

Avant, ...

Demain, ...

Je voudrais qu'il ....

Oral

N° 51

1. Écoutez le message météo. Classez les informations.

	Soleil	Pluie	Vent	Température
a. Ouest				
b. Est				
c. Sud-Ouest				
d. Sud-Est				
e. Méditerranée				

Vocabulaire

1. Apprenez le vocabulaire.

Contestation (n. f.) ....
Laver (se) (v.) ....
Traduire (v.) ....
Dépêcher (se) (v.) ....

Fidèle (adj.) ....
Poli (adj.) ....
Impoli (adj.) ....
Clos (adj.) ....

2. Vérifiez la compréhension de la séquence 38 (Livre de l'élève, p. 125). Dites si ces informations sont vraies ou fausses.

	VRAI	FAUX
a. Mélanie a eu sa bourse.	☐	☐
b. Elle va passer une année en Allemagne.	☐	☐
c. Greg aimerait passer une année en Allemagne sans problèmes d'argent.	☐	☐
d. Mélanie encourage Greg à s'inscrire.	☐	☐
e. Greg est sûr de bien s'intégrer en Allemagne.	☐	☐

3. EXPRIMER SA SATISFACTION. Complétez avec les expressions de la liste.

je suis contente ; c'est sympa ; elle a eu de la chance ; c'est bien ; c'est juste

a. Tu as beaucoup travaillé. Tu as réussi. ....

b. J'ai ce que je voulais, ...

c. Ce n'était pas gagné pour elle, ...

d. Merci de m'avoir aidé, ...

e. Tu as enfin pris ta décision. ....

4. Formez des expressions imagées avec les verbes qui illustrent les idées reçues sur les Français.

parler ; manger ; se laver ; payer ; travailler

a. Cette affaire ne me concerne plus, je m'en .... les mains.

b. Il sort de prison ; il a .... sa dette à la société.

c. Il ne fait pas les bons choix, il .... à sa perte.

d. Il a gagné beaucoup d'argent. Maintenant, ce sera plus difficile. Il a .... son pain blanc.

e. Il en dit plus qu'il n'en sait, il .... trop.

Grammaire

1. COMPARER DES QUANTITÉS. Pour chaque information, écrivez une phrase comparative.

Hommes et femmes

a. Répartition des députés à l'Assemblée : H. : 73,1 % ; F. : 26,9 %

....

b. Temps passé aux tâches à la maison : H. : 1 h 37 ; F. : 3 h 34

....

c. Taille moyenne : H. : 176 cm ; F. : 163 cm

....

d. Pratiques sportives : F. : 36,9 % ; H. : 63,1 %

....

e. Salaire net moyen : H. : 2 240 € ; F. : 1 834 €

....

f. Consommations de médicaments calmants : H. : 13 % ; F. : 13 %

....

2. COMPARER LES QUALITÉS. Pour chaque information, écrivez une phrase comparative.

a. Cadre de vie agréable : ici (+) ; ailleurs (-)

....

b. Longueur de la durée des congés : États-Unis (-) ; Europe (+)

....

c. Gentillesse de tes amis : Coralie (+) ; Louis (+)

....

d. Rapidité à la course : David (-) ; Léo (+)

....

e. Disponibilité des vendeurs : ici (+) ; là-bas (-)

....

f. Chaleur de l'accueil : chez eux (+) ; chez nous (-)

....

3. COMPARER LES ACTIONS. Comparez les comportements des membres de ces couples.

a. Dépenser : Coralie (+) ; Alexis (-)

....

b. Gagner : Justine (-) ; Justin (+)

....

c. Travailler : Clément (+) ; Sébastien (+)

....

d. Boire : Hugo (-) ; François (+)

....

e. Dormir : Ludovic (+) ; Laura (-)

....

f. Skier : Vincent (-) ; Xavier (+)

....

Oral

1. Distinguez [ply] – [plys] – [plyz]. Écoutez, cochez.

N° 52 *Toujours plus*

	[ply]	[plys]	[plyz]
a. Karim est plus intelligent.			
b. Antoine est plus intéressant.			
c. Coralie est plus dynamique.			
d. Lucas cherche plus.			
e. Charlotte écoute plus.			

2. Distinguez [mwɛ̃] et [mwɛ̃z].

N° 53 *Toujours moins*

	[mwɛ̃]	[mwɛ̃z]
a. Alexandre est moins brillant.		
b. Catherine est moins amusante.		
c. Maude est moins originale.		
d. Paul est moins rapide.		
e. Romain est moins amateur.		
f. Virginie est moins sentimentale.		

Vocabulaire

1. Apprenez le vocabulaire.

Religieux (n. m.) ....   Bizutage (n. m.) ....
Âne (n. m.) ....   Épreuve (n. f.) ....
Friandise (n. f.) ....   Remonter (v.) ....
Lendemain (n. m.) ....   Distribuer (v.) ....
Feu d'artifice (n. m.) ....   Emporter (v.) ....
Animation (n. f.) ....   Former (v.) ....
Érable (n. m.) ....   Maintenir (se) (v.) ....
Carreau (n. m.) ....   Éternuer (v.) ....
Barbe (n. f.) ....   Croiser (v.) ....
Bâton (n. m.) ....   Horrible (adj.) ....
Sirop (n. m.) ....   Sage (adj.) ....
Saucisse (n. f.) ....   Précédent (adj.) ....
Rite (n. m.) ....   Bizarre (adj.) ....

2. Vérifiez la compréhension du document sur la Saint-Nicolas (Livre de l'élève, p. 126). Cochez la bonne réponse.

a. On fête la Saint-Nicolas...
❑ dans les pays de l'Est.
❑ dans l'est de la France et dans les pays de l'Est et du Nord de l'Europe.
b. La tradition a pour origine...
❑ un conte en Turquie.
❑ la distribution de cadeaux et de nourriture aux pauvres par un riche religieux.
c. Le Jour de la Saint-Nicolas...
❑ saint Nicolas défile avec le père Fouettard.
❑ l'âne de Saint Nicolas distribue des cadeaux.

d. La veille de la Saint-Nicolas...
❑ les enfants boivent un verre de lait et mangent une carotte.
❑ les enfants mettent leurs bottes devant la porte pour recevoir des cadeaux.
e. À Nancy...
❑ on illumine l'arbre de Noël et on fait un feu d'artifice le jour de la Saint-Nicolas.
❑ on continue la fête sur les marchés le lendemain et les jours suivants.

3. Trouvez le sens. Associez.

a. Une friandise
b. Un feu d'artifice
c. Un rite
d. Un bizutage
e. Une épreuve

1. Une coutume
2. Un bonbon, un petit gâteau
3. Des fusées colorées qui dessinent des figures dans le ciel
4. Un examen
5. Une épreuve bizarre et souvent amusante

4. Caractérisez avec une expression équivalente. Complétez.
un regard froid ; un esprit sombre ; une attitude bizarre ; horrible à voir ; un comportement dangereux

Drôle de personnage

a. Il se comporte curieusement ; il a ....

b. Il faut se méfier de lui ; il a ....

c. Ses yeux ne brillent jamais ; il a ....

d. Il semble toujours déprimé ; il a ....

e. On dirait un monstre ; il est ....

Grammaire

1. PRÉCISER LE MOMENT À PARTIR DU MOMENT OÙ ON PARLE. **Complétez.**

Sportif parisien

8 mai : aujourd'hui, je fais un jogging dans le Jardin du Luxembourg.

a. Du 1er au 5 mai : .... , je profitais du bassin de la piscine Saint-Germain.

b. 6 mai : .... , je suis allé faire du tennis dans le 12e arrondissement.

c. 7 mai : .... , je suis allé faire du canoë sur le bassin de la Villette.

d. 9 mai : .... , j'irai me promener au bois de Boulogne.

e. 10 mai : .... , je partirai faire une randonnée en forêt de Fontainebleau.

f. Du 17 au 24 mai : .... , nous serons au bord de la mer.

2. PRÉCISER LE MOMENT PAR RAPPORT À UN AUTRE MOMENT. **Complétez.**

2 juin : excursion dans le Rouergue
3 juin : visite de Roquefort
4 juin : visite de Rodez
5 juin : suite du séjour à Rodez. Musée Soulages
6 juin : visite de Rocamadour

a. C'était il y a un an. **Ce jour-là**, le 4 juin, nous avons visité Rodez.

b. .... , nous sommes allés à Roquefort où nous avons visité les caves du célèbre fromage.

c. .... , nous avons parcouru le pays de Rouergue avec ses lacs sous les pins qui font penser à des paysages scandinaves.

d. .... du 4 juin, nous sommes restés à Rodez pour voir le nouveau musée Soulages consacré au célèbre peintre contemporain, né à Rodez.

e. .... , nous avons réservé la journée au village de Rocamadour. Village forteresse avec une vue magnifique sur le causse et le canyon.

Civilisation

1. Travaillez avec le Point infos (Livre de l'élève, p. 127).

a. À quelles traditions correspondent :

1. les journées d'intégration : ....

2. les « cousinades » : ....

3. les fêtes de quartier ou d'immeuble : ....

b. À quelles situations familières renvoient les expressions :

1. « Bon appétit » : ....

2. « À vos souhaits » : ....

3. « merde » : ....

Vocabulaire

1. Apprenez le vocabulaire.

Règne (n. m.) ....

Réputation (n. f.) ....

Cadre (n. m.) ....

Acrobatie (n. f.) ....

Jonglerie (n. f.) ....

Vocation (n. f.) ....

Moine (n. m.) ....

Colline (n. f.) ....

Bruyère (n. f.) ....

Pierre (n. f.) ....

Arbre (n. m.) ....

Édifier (v.) ....

Préserver (v.) ....

Concevoir (v.) ....

Diffuser (v.) ....

Couvrir (v.) ....

Exceptionnel (adj.) ....

Lyrique (adj.) ....

Romain (adj.) ....

Pittoresque (adj.) ....

Fleuri (adj.) ....

2. Lisez la description du théâtre antique d'Orange (Livre de l'élève, p. 128). Trouvez les informations suivantes.

a. Origine : ....

b. Caractéristique : ....

c. Dimension du mur : ....

d. Capacité du théâtre : ....

e. Vocation : ....

3. Lisez l'article sur l'île aux Moines (Livre de l'élève, p. 129). Remplissez la carte d'identité de l'île.

a. Origine du nom : ....

b. Situation : ....

c. Dimension : ....

d. Habitat : ....

e. Loisirs : ....

f. Climat : ....

4. PARLER D'UN LIEU. Complétez.

la célébration ; l'expression ; la renommée ; la vocation

Avignon : le palais des Papes

a. Le palais des Papes a été construit au Moyen Âge, quand le pape Clément V a quitté Rome pour s'installer à Avignon. La .... du lieu date de cette époque.

b. Pendant une grande partie du xive siècle, ce palais a été l'.. de la puissance de la papauté.

c. La .... actuelle du palais est d'être une salle de spectacle pendant le festival de théâtre.

d. Chaque année, en juillet, plus de 1 000 spectacles différents ont lieu chaque jour dans la ville d'Avignon. C'est un bel exemple de .... de l'amour du théâtre et de sa vitalité.

5. Complétez les expressions avec les participes passés des verbes de la liste.

concevoir ; diffuser ; édifier ; manifester ; préserver

a. Dans les années 1960, la construction du barrage d'Assouan en Égypte a menacé le site antique d'Abou Simbel. Le site a été .... grâce à l'aide internationale.

b. La tour Eiffel a été .... pour l'exposition universelle de 1889. C'est l'ingénieur Eiffel qui a .... cette construction originale pour l'époque.

c. Au xviiie siècle, la pensée des philosophes des Lumières s'est .... à travers toute l'Europe. Elle s'est .... dans la Révolution française et dans l'évolution des régimes politiques en Europe.

Grammaire

1. DÉCRIRE SES DÉPLACEMENTS. Complétez avec : *à, de, chez, par.*

a. Je suis allé .... Paris ; je me suis arrêté .... Lyon ; j'arrivais .... Marseille.

b. Je viens .... Nantes. Et je vais .... Cherbourg .... mon cousin garagiste.

c. Ce week-end, nous allons .... Italie. Nous partirons .... Megève et nous passerons .... le tunnel du Mont-Blanc pour aller déjeuner .... Filippo, une auberge typique du Val d'Aoste.

COMPRÉHENSION DES ÉCRITS

COMPRENDRE UN DOCUMENT INFORMATIF. **Lisez l'article et répondez aux questions.**

Tour du monde en famille

Ils en avaient envie, ils ont économisé, ils l'ont fait.
Douze mois à parcourir le monde en famille !

Pour Jérômine, la maman, c'était un rêve ancien. Il a fallu un an de préparatifs : regarder comment les autres avaient fait ; établir l'itinéraire ; faire un budget ; mettre en place des partenariats ; rechercher des locataires pour leur maison ; mettre à jour les papiers ; créer un blog (duglobeaublog.com) ; et enfin et surtout, acheter les billets !
Et les voilà partis : Jérômine, Aladin, son compagnon, et leurs trois enfants, Athéna (12 ans), Indira (12 ans) et Vénus (3 ans). Les bagages : deux sacs par personne (sauf Vénus qui n'en avait qu'un) et le plus encombrant : le drone avec sa caméra, les ordinateurs pour le blog et l'appareil photo.
Un tour du monde d'Est en Ouest : l'Inde, la Thaïlande, le Laos, le Cambodge, l'Indonésie, l'Australie puis le Chili, l'Argentine, l'Uruguay, le Brésil, la Bolivie, le Pérou, le Mexique et retour…
Les plus beaux souvenirs : les dix jours passés en Inde dans une plantation de thé bio de Makaïbari à loger chez l'habitant et à partager le quotidien des cueilleuses de thé ; la descente dans le volcan Kawah Ijen indonésien où travaillent les mineurs de soufre ; les parcs nationaux australiens ; le coup de cœur de Rio « la plus belle ville du monde » et aussi les « vraies » vacances au Mexique ! Mais surtout, douze mois en famille à se connaître sous un autre jour !

D'après *Version Femina*, 2015

a. Qui est qui ?
1. Aladin : ....
2. Indira : ....
3. Jérômine : ....
4. Vénus : ....
5. Athéna : ....

b. Retrouvez l'itinéraire.
1. Asie : ....
2. Amérique du Sud : ....
3. Amérique centrale : ....

c. Pour pouvoir faire le récit de leur voyage sur leur blog, qu'ont-ils emporté ?
....

d. Associez des souvenirs à ces lieux.
1. Makaïbari : ....
2. Rio : ....
3. Kawah Ijen : ....

COMPRÉHENSION DE L'ORAL

N° 54

Comprendre une annonce dans les transports. **Vous entendez cette annonce. Lisez les questions. Écoutez le document puis répondez aux questions.**

	Annonce 1	Annonce 2	Annonce 3
a. Type de transport			
b. Identité spécifique			
c. Nature de l'incident			
d. Remédiation			

PRODUCTION ÉCRITE

Vous avez vécu une expérience dans un pays étranger. Vous écrivez à un(e) ami(e) pour lui parler de cette expérience, du pays, de ses habitants. Vous dites ce que vous avez aimé et ce que vous n'avez pas aimé. (60 mots minimum)

....
....
....
....
....
....
....
....
....
....
....
....

PRODUCTION ORALE

Monologue suivi

Avez-vous prévu de partir en vacances ? Quelle destination avez-vous choisi ? Vous allez voyager seul(e) ou accompagné(e) ? Sinon, qu'est-ce que vous allez faire pendant vos vacances ?

Vocabulaire

1. Apprenez le vocabulaire.

Tâche (n. f.) ....
Répartition (n. f.) ....
Type (n. m.) ....
Ménage (n. m.) ....
Traitement (n. m.) ....
Fichier (n. m.) ....
Linge (n. m.) ....
Bricolage (n. m.) ....

Jardinage (n. m.) ....
Entretien (n. m.) ....
Promettre (v.) ....
Insérer (v.) ....
Domestique (adj.) ....
Performant (adj.) ....
Administratif (adj.) ....

2. Vérifiez la compréhension du document *Les Français et les Françaises face aux tâches domestiques* **(Livre de l'élève, p. 134). Répondez aux questions.**

a. Le temps que les hommes passent au travail et aux tâches domestiques est-il à peu près égal à celui des femmes ?

....

b. Qu'est-ce qui a diminué ?

....

c. Qu'est-ce qui s'est modifié ?

....

d. Qu'est-ce qui est source d'inégalités ?

....

3. Classez ces mots dans les catégories suivantes.

aspirateur ; fourchette ; couverture ; charcuterie ; livre ; assiette ; drap ; ordinateur ; ampoule ; saladier ; judo ; pain ; pull ; moule ; séries ; piles ; café ; supermarché ; télévision

a. Cuisine	
b. Ménage	
c. Linge	
d. Courses	
e. Jeux et instruction des enfants	
f. Bricolage et jardinage	

4. Parler des tâches domestiques. Complétez avec un verbe de la liste.

faire ; passer ; garder ; sortir ; changer ; préparer ; laver

a. .... le linge.

b. .... la vaisselle.

c. .... le repas.

d. .... l'aspirateur.

e. .... les enfants quand les parents sortent le soir.

f. .... les poubelles.

g. .... les piles de la télécommande.

5. Qu'est-ce qu'il fait quand il dit... ? *Il promet, il regrette, il assure* ?

a. « On fera tout notre possible pour venir dimanche à ta fête ! » → ....

b. « La semaine prochaine, je le jure, vous aurez les maquettes. » → ....

c. « Dommage, on voudrait bien mais on ne pourra pas venir au match. » → ....

d. « On sera là... Tu peux me croire, c'est sûr qu'on ne va pas manquer ça ! → ....

e. « Malheureusement, ne comptez pas sur nous pour l'anniversaire de Ludovic... » → ....

f. « Je vais faire tout mon possible pour réparer votre ordinateur avant vendredi ! » → ....

6. Vérifiez la compréhension de la séquence 39 (Livre de l'élève, p. 135). Choisissez les bonnes suites.

a. Li Na reproche à Ludo...
❑ de ne pas être gentil.
❑ d'être jaloux.

b. Ludo accepte d'aider Li Na à...
❑ faire son diaporama.
❑ insérer un fichier son dans son diaporama.

c. Ludo veut...
❑ devenir chef d'entreprise.
❑ monter sa boîte.

d. Ludo veut monter...
❑ un site internet de conseils en produits de beauté.
❑ une boîte de pub.

e. Ludo va monter son site...
❑ avec des copains.
❑ avec un copain informaticien et un médecin.

f. Ludo cherche quelqu'un...
❑ pour le marketing.
❑ pour la communication.

Grammaire

1. POSER DES CONDITIONS AVEC *À CONDITION QUE*... Transformez.

On viendra...

a. si vous le voulez bien. → **à condition que vous le vouliez bien.**

b. s'il fait beau. → ....
....

c. si vous nous promettez de ne pas vous déranger. → ....
....

d. si nous sommes en forme. → ....
....

e. si Justin n'a pas trop de travail. → ....
....

f. si vous venez nous voir à votre tour. → ....
....

2. PROMETTRE, ASSURER, REGRETTER. Complétez en mettant le verbe à la bonne forme.

a. Je vous assure que ça *(aller)* ....

b. Je vous promets que nous le *(faire)* ....

c. Je regrette que tu *(ne pas vouloir)* .... y aller.

d. Je te promets qu'ils *(revenir)* ....

e. Je regrette qu'il *(ne pas mieux réussir)* ....

f. Je t'assure que nous *(découvrir)* .... la vérité.

Oral

N° 55 **1. Répondez avec « *à condition que* + subjonctif ».**

On gagnera...

a. si nous avons une bonne équipe.
à condition que nous ayons une bonne équipe.

b. si nous sommes en forme.
....

c. si nous nous entraînons.
....

d. si nous jouons collectif.
....

e. si nous suivons les conseils du coach.

f. si nous sommes soutenus par notre public.
....

N° 56 **2. TÂCHES DOMESTIQUES. Et chez vous, ça se passe comment ? Écoutez le micro-trottoir puis classez les informations avec la grille.**

	Témoignage 1	Témoignage 2	Témoignage 3	Témoignage 4
a. Tâches ménagères				
b. Courses				
c. Bricolage				
d. Repas				
e. Enfants				
f. Gestion				

Vocabulaire

1. Apprenez le vocabulaire.

Casting (n. m.) ....

Solitude (n. f.) ....

Tranquillité (n. f.) ....

Libraire (n. m. / n. f.) ....

Galeriste (n. m. / n. f.) ....

Trace (n. f.) ....

Reflet (n. m.) ....

Pardonner (v.) ....

Recueillir (v.) ....

Émerveiller (s') (v.) ....

Manquer (v.) ....

Brun (adj.) ....

Blond (adj.) ....

Sensible (adj.) ....

Secret (adj.) ....

Émotif (adj.) ....

Sociable (adj.) ....

Ambitieux (adj.) ....

Optimiste (adj.) ....

Doué (adj.) ....

Franc (adj.) ....

Volontaire (adj.) ....

Irréfléchi (adj.) ....

Généreux (adj.) ....

Patient (adj.) ....

Actif (adj.) ....

Influent (adj.) ....

Minuscule (adj.) ....

2. Lisez les messages du forum et classez les informations dans la grille.

Votre type de femme... votre type d'homme... idéal...

1. Mon type de femme... sensible, artiste, généreuse, brune, grande.

2. Lui... ? Plein d'énergie surtout... Il est grand bien sûr, il est brun et il a les yeux bleus... et sportif dans l'âme !

3. Je la rêve en blond ; je la voudrais mystérieuse, étonnante, secrète, toujours à découvrir...

4. En fait, je l'ai trouvé ! Il est charmeur. Il est très sociable. C'est ce qu'on appelle « un beau brun » mais... de taille moyenne (non ! pas parfait !). Il est passionné par la vie, par les idées.

	Qualités physiques	Qualités morales	Qualités affectives	Centres d'intérêt
1.				
2.				
3.				
4.				

3. Trouvez le contraire.

a. Il a un grand nez. → ....

b. Elle a la peau sombre. → ....

c. Il est maigre. → ....

d. Elle a de longues jambes. → ....

e. Il est très gros. → ....

f. Il a les épaules larges. → ....

4. Chassez l'intrus

a. grand – large – fort – maigre

b. patient – calme – changeant – tranquille

c. doué – passionné – intelligent – créatif

d. énergique – sensible – émotif – timide

e. tranquille – passionné – ambitieux – énergique

f. instable – irréfléchi – changeant – patient

5. Associez l'adjectif à la définition.

optimiste ; instable ; sociable ; franc ; secret ; sensible

a. Il ne révèle rien de lui-même, il est ....

b. Il aime la compagnie, il est ....

c. Il est toujours sûr que les choses vont réussir, il est ....

d. Elle vous dit les choses comme elle les pense, elle est ....

e. Tout la touche, elle est ....

f. Il passe d'un sentiment à un autre, il est ....

6. Complétez les descriptions avec un adjectif du document *Le chiffre de votre personnalité* (Livre de l'élève, p. 137).

a. Il est .... ; il connaît beaucoup de monde.

b. Il est toujours .... ; il faut toujours qu'il fasse quelque chose.

c. Il est .... avec ses étudiants ; il n'hésite pas à recommencer l'explication plusieurs fois.

d. Elle est .... ; elle donne beaucoup de sa personne.

e. Elle est .... ; elle ne recule jamais devant une difficulté.

f. Elle est .... ; elle fera tout pour réussir.

7. Est-ce que ça veut dire la même chose ?

	VRAI	FAUX
a. Elle est attirée par lui. = Elle lui plaît.	☐	☐
b. Il est sûr de lui. = Il change toujours d'avis.	☐	☐
c. Il a une sensibilité à fleur de peau. = Il est très émotif.	☐	☐
d. Elle comprend vite et bien. = Sa pensée est toujours claire.	☐	☐
e. Elle ne pense pas aux conséquences de ses actes. = Elle n'en fait qu'à sa tête.	☐	☐
f. Il dit toujours clairement ce qu'il a à dire. = Il vous dit les choses comme il les pense.	☐	☐

Écrit

1. Et vous, qui admirez-vous ? Lisez puis remplissez la carte d'identité de chacun des témoignages.

Témoignages d'admiration

a. « Elle a été ma professeure de français. C'était une femme incroyable. Grande, toujours élégante. Un jour, elle est arrivée avec un chapeau très « star »… Toute la classe l'a applaudie. Surtout, je lui dois Mozart, Stendhal (Ah ! Ses cours sur *La Chartreuse de Parme* !), Éluard, Visconti, le peintre Nicolas de Staël et le goût du voyage. Passionnée, elle lisait, elle racontait, elle nous a aussi appris à regarder. Une heure de français, c'était une heure de temps suspendu. »

b. « Je l'ai rencontré en Afrique. Il dirigeait alors de gros chantiers de construction. Ses compagnons de travail aimaient tellement travailler avec lui qu'ils le suivaient de chantier en chantier. C'était un chef très aimé et très sérieux dans le travail. Il m'a raconté qu'en Mauritanie, quand il est arrivé sur un nouveau chantier, il n'y avait qu'un lieu où dormir, c'était le hangar des aviateurs Jean Mermoz et Antoine de Saint-Exupéry ! Un peu aventurier. La ville s'appelait du temps de la colonisation, Port-Étienne, aujourd'hui, c'est Nouadhibou. »

c. « Il était diplomate de carrière. C'est un homme que j'ai rencontré au Royaume-Uni puis en Espagne. Extraordinairement généreux. Extrêmement attentif aux autres. Très drôle. Avec toujours plein d'histoires à raconter. C'était comme s'il avait vécu cent vies… Très secret aussi, même si j'ai fini par connaître son secret. Pendant la Seconde Guerre mondiale, il a fait passer de la zone occupée de la France en zone libre des dizaines d'enfants qui ont pu être sauvés grâce à lui et à ceux et celles qui les accueillaient et les cachaient. Il faisait partie de ceux qu'on appelle les Justes[1]. »

1. Juste : mot qui désigne « les Justes parmi les nations qui ont mis leur vie en danger pour sauver des Juifs » pendant la Seconde Guerre mondiale. Le titre de Juste est décerné par le mémorial de Yad Vashem en Israël.

a. Indiquez la profession de chacune des personnes admirées.

Témoignage 1 : ....

Témoignage 2 : ....

Témoignage 3 : ....

b. Faites le portrait de chacune des personnes admirées avec les adjectifs de chaque témoignage.

Témoignage 1 : **C'était une femme incroyable…**

....

Témoignage 2 : **C'était un chef…**

....

Témoignage 3 : **C'était un homme…**

....

c. Retrouvez les références qui vont avec chacune des personnes admirées.

	Témoignage 1	Témoignage 2	Témoignage 3
Références littéraires			
Références artistiques			
Références géographiques			
Références historiques			

Vocabulaire

1. Apprenez le vocabulaire.

Déménagement
(n. m.) ....
Carton (n. m.) ....
Camion (n. m.) ....
Affaire (n. f.) ....
Ours (n. m.) ....

Peluche (n. f.) ....
Stock (n. m.) ....
Amener (v.) ....
Énerver (s') (v.) ....
Déranger (v.) ....
Divers (adj.) ....

2. Vérifiez la compréhension de la séquence 40 (Livre de l'élève, p. 138). Dites si ces affirmations sont vraies ou fausses.

	VRAI	FAUX
a. Éric vient faire le déménagement avec un camion.	☐	☐
b. Ludovic et Li Na s'installent dans un petit appartement.	☐	☐
c. Li Na a un petit ours en peluche.	☐	☐
d. Mélanie et Greg partent en Allemagne.	☐	☐
e. Mélanie et Greg aident Li Na et Ludo à déménager.	☐	☐

3. Exprimer le besoin et le manque. Complétez avec *il me faut...* ou *il me manque...*

Côté cuisine

a. C'est toujours pareil ! .... toujours quelque chose pour faire ce plat.

b. Plus de sel ! .... du sel. Cours en acheter !

c. J'ai encore du sucre... mais .... de la crème.

d. Ça va... mais .... plus de temps pour préparer le repas.

e. Moi, ... toujours beaucoup de temps pour faire ce plat.

f. .... des fruits pour la salade... je n'en ai pas assez. Si tu viens plus tôt, tu peux m'en apporter.

4. Parler de déplacements. Utilisez les verbes de la liste.
apporter ; amener ; emmener ; emporter ; rapporter, transporter

Vie quotidienne

a. Mon enfant est malade, docteur. Je vous l'.. pour un examen.

b. Tu prends la voiture ? Tu vas au centre-ville en voiture ? Tu m'.. ?

c. Merci de l'invitation ! Qu'est-ce que j'.. ? À boire ? À manger ?

d. Tu sais qu'on va à la mer... N'oublie pas d'.. ton maillot de bain !

e. Ta valise est très lourde ! Comment tu vas la .... ?

f. Si tu vas faire les courses, tu peux me .... un pack d'eau minérale ?

Grammaire

1. Conjuguez le verbe *rappeler*.

a. Je te .... demain.

b. Nous vous .... pour confirmer.

c. Elle lui .... sa proposition.

d. Vous vous .... votre promesse ?

e. Tu .... le service ?

f. Ils lui .... ses engagements.

2. Conjuguez le verbe *geler*.

a. Il fait froid, je ....

b. C'est décidé : nous .... ses crédits.

c. Je chauffe ? Non, tu .... ! Tu dois encore chercher la solution.

d. On n'avance plus. Ils .... la négociation.

e. On ne bouge pas sur les prix. Vous les ....

f. Elle .... l'assistance par ses remarques.

Écrit

1. Lisez l'article et répondez aux questions.

Free-lance et maman, elle a adopté le coworking

La tendance est aux « co » : colocation, covoiturage, coworking… tout devient « co » dans notre vie.

« *Quand je veux trouver une vie de travail normale, dit Delphine, dessinatrice de story-board, je viens ici au Studios Singuliers. Cela m'oblige à sortir de chez moi. Cela me donne un souffle pendant ma journée. Je trouve une vraie stimulation. C'est un lieu d'échanges très riches.* »
Studios Singuliers, c'est un lieu créé il y a trois ans par Basile Samson (33 ans) et deux autres designers. 35 postes de travail en rez-de-jardin et une grande table centrale pour ceux qui veulent venir travailler pour la demi-journée (pour 10 ou 20 €). Tout autour, il y a des bureaux personnalisés pour les abonnés de longue durée qui doivent payer entre 250 € et 500 €.

Si Delphine profite du lieu une journée de temps en temps, Brice et ses deux associés, spécialisés dans l'apprentissage en ligne, ont choisi cette vie de bureau « où l'ambiance est sympa, où l'on se fait des amis. On peut aussi profiter de l'expérience des autres pour faire face. On est tous confrontés aux mêmes problèmes. »
Des lieux comme ça, il y en a 138 actuellement en Île-de-France et l'on espère en créer 1 000 d'ici 2020.

D'après *Le Parisien*, avril 2016.

a. Qu'est-ce que le coworking ?

....

b. Qu'est-ce qui caractérise Studios Singuliers ? Est-ce une initiative unique ?

....

c. Combien coûte l'accès à l'espace Studios Singuliers ?

....

d. Pourquoi Delphine vient-elle travailler dans cet espace ?

....

e. Quels sont pour Brice les avantages de travailler dans un espace partagé ?

....

Oral

N° 57 **1.** Distinguez [a] et [ã]. Écoutez et cochez.

	[a]	[ã]
a. Tu y vas quand ?		
b. Où ? À Caen ?		
c. Je ne sais pas… j'attends.		
d. Ça va durer longtemps ?		
e. Patience !		
f. Ça avance ?		
g. À grands pas !		

N° 58 **2.** Écoutez le reportage et répondez aux questions.
La coloc' ça marche !

a. Quel est l'âge des colocataires aujourd'hui ?

....

b. Quels sont les avantages financiers de la colocation ?

....

c. Quels sont les avantages en termes d'espace ?

....

d. Quel est l'avantage social de la colocation pour Damien ?

....

e. Avec qui Chloé partage-t-elle un appartement ?

....

Vocabulaire

1. Apprenez le vocabulaire.

Bobo (n. m.)	....	⊟━⊟	Écart (n. m.)	....
Rime (n. f.)	....	⊟━⊟	Salaire (n. m.)	....
Média (n. m.)	....		Dresser (v.)	....
Loft (n. m.)	....	⊟━⊟	Élever (v.)	....
Atelier (n. m.)	....		Rouler (v.)	....
Racaille (n. f.)	....	⊟━⊟	Déplacer (se) (v.)	....
Joint (n. m.)	....		Repérer (v.)	....
Papillon (n. m.)	....	⊟━⊟	Attacher (v.)	....
Gloire (n. f.)	....		Gouverner (v.)	....
Patrie (n. f.)	....	⊟━⊟	Progresser (v.)	....
Camp (n. m.)	....		Bohême (adj.)	....
Sorte (n. f.)	....	⊟━⊟	Intime (adj.)	....
Diversité (n. f.)	....		Branché (adj.)	....
Peuple (n. m.)	....	⊟━⊟	Linguistique (adj.)	....
Immigration (n. f.)	....		Majoritaire (adj.)	....
Identité (n. f.)	....	⊟━⊟	Net (adj.)	....
Représentant (n. m.)	....		Environ (adv.)	....
Autorité (n. f.)	....	⊟━⊟	Progressivement	....
Inégalité (n. f.)	....	⊟━⊟	(adv.)	

2. Vérifiez la compréhension de la chanson « Les Bobos » (Livre de l'élève, p. 140). Retrouvez dans le texte de la chanson les adjectifs qui correspondent à ces définitions associés au portrait des bobos.

a. Reçoivent une bonne éducation → ....

b. A des habitudes de vie originales → ....

c. Suit les modes → ....

d. Se nourrit de produits naturels → ....

e. Vit comme il en a envie → ....

3. Trouvez l'adjectif et complétez l'expression.

a. gloire → un passé ....

b. patrie → un esprit ....

c. peuple → un parti ....

d. autorité → une mesure ....

e. inégalité → une politique ....

4. Caractérisez avec un adjectif de la liste.
branché ; bohême ; illuminé ; exotique ; traditionnel ; original

a. On voit qu'il a vécu dans des pays lointains, il y a chez lui un côté ....

b. Il faut toujours qu'il se distingue, sa pensée est ....

c. Elle est au courant de tout ce qui se passe de nouveau, elle est ....

d. Sa pensée part dans des directions bizarres, il a des visions et des idées bizarres, il est un peu ....

e. Elle n'aime pas les règles, elle est un peu ....

f. Ne lui parlez pas de changement, il est très ....

Écrit - Civilisation

1. Retrouvez dans le Point infos (Livre de l'élève, p. 141) les marques de la diversité.

a. Diversité politique :

....

b. Diversité économique :

....

c. Diversité linguistique :

....

d. Diversité des origines :

....

2. Comprenez les allusions culturelles de la chanson « J'y suis j'y reste » qui parle de Toulouse. Aidez-vous des pages Wikipédia sur Toulouse et Zebda.

a. Ma ville a ses petits avions jolis comme des papillons.
→ ....

b. Les kiosques à la gloire de la patrie n'aiment pas le bruit.
→ ....

c. Ceux qui rêvent de lutte des classes.
→ ....

d. Ceux qui portent des tee-shirts Chiapas.
→ ....

e. Tout ne peut pas s'oublier.
→ ....

3. Rattachez chacune de ces familles aux réponses suivantes.

Voici sept familles distinguées dans un article du journal *20 minutes*.

a. Les néo-militants (20 %) ou « bobos » ouverts sur les questions de mœurs, d'immigration et d'environnement.
b. Les mondialisés libéraux (12 %), bien dans la mondialisation, sensibles à la responsabilité individuelle et au mérite.
c. Les conservateurs assumés (14 %), défenseurs de l'identité, des valeurs de la famille et qui préfèrent la liberté à l'égalité.
d. Les anxieux désorientés (14 %), fortement identitaires, en attente d'ordre et de sécurité.
e. Les alternatifs responsables (14 %), libéraux en matière de mœurs ; ouverts à l'immigration ; hostiles à la mondialisation.
f. Les néo-traditionalistes (12 %) qui croient en la religion ; ils ont une vision conservatrice du couple et de la sexualité. Pour un État fort.
g. Les fragiles isolés (14 %) qui se sentent exclus de leur propre pays, en attente d'ordre et de sécurité. Inquiets face à la mondialisation et pour un État qui défend l'égalité.

a. Que pensez-vous du mariage pour tous ?
1. « C'est contre nature. » → ....
2. « Ça se fait ailleurs dans le monde sans problème. »
→ ....
3. « C'est le sens de l'histoire, du progrès ! »
→ ....
4. « Ça va déstabiliser la société. » → ....
5. « Ça me fait peur ! » → ....
6. « C'est tellement cool ! » → ....
7. « L'Église a raison de le dénoncer. » → ....

b. Que pensez-vous de l'immigration ?
1. « Les immigrants de nos jours ont plus de mal à s'intégrer qu'avant, du fait de leur religion. » → ....
2. « C'est bien les mélanges ! » → ....
3. « Ça me fait peur. » → ....
4. « Ils viennent profiter de notre modèle social. »
→ ....
5. « On en a besoin pour notre croissance économique. »
→ ....
6. « Les frontières, c'est dépassé. » → ....
7. « Chacun chez soi et les moutons seront bien gardés. »
→ ....

Oral

1. Écoutez le reportage et répondez aux questions.
N° 59

a. Qu'est-ce que Myriam, Yasmina, Marie-Ange ont en commun ?
....
....

b. Quelle est l'image la plus commune de la banlieue ?
....
....

c. Quels sont les domaines de la vie économique, politique et sociale où les Françaises originaires du Maghreb sont présentes ?
....
....

d. Quel rôle joue le milieu associatif ?
....
....

Vocabulaire

1. Apprenez le vocabulaire.

Lagon (n. m.) ....

Épicerie (n. f.) ....

Comptable (n. m.) ....

Barbecue (n. m.) ....

Balade (n. f.) ....

Archipel (n. m.) ....

Métropole (n. f.) ....

Contact (n. m.) ....

Électricité (n. f.) ....

Isolement (n. m.) ....

Embouteillage (n. m.) ....

Puissance (n. f.) ....

Empire (n. m.) ....

Département (n. m.) ....

Tenir (v.) ....

Gêner (v.) ....

Plaindre (se) (v.) ....

Intégrer (v.) ....

Confortable (adj.) ....

Triste (adj.) ....

Étroit (adj.) ....

Merveilleux (adj.) ....

Colonisateur (adj.) ....

Terriblement (adv.) ....

2. Vérifiez la compréhension du courriel de Géraldine (Livre de l'élève, p. 142-143). Lisez le courriel et répondez aux questions.

a. Attribuez ces informations.

    1. C'est un village de 7 000 habitants. → ....

    2. L'île a une longueur de 8 kilomètres. → ....

b. Qui sont les « métro-expats » ?

....

c. Qu'est-ce qui caractérise « l'esprit village » ?

....

d. Faites la liste des inconvénients sur le plan économique et culturel.

....

e. Qu'est-ce qui donne l'impression d' « être un peu en vacances toute l'année » ?

....

3. Dites si ces sentiments sont positifs ou négatifs.

	Positifs	Négatifs
a. Quelle joie que tu sois venue !	☐	☐
b. Revenez quand vous voulez.	☐	☐
c. On ne vous voit plus du tout...	☐	☐
d. Tu avais promis et, comme d'habitude, tu ne l'as pas fait.	☐	☐
e. Je n'oublierai pas ce week-end passé tous ensemble.	☐	☐
f. Regarde ce que tu es devenu... tu me fais honte !	☐	☐

4. EXPRIMER DES SENTIMENTS NÉGATIFS OU POSITIFS. **Complétez avec les expressions de la liste.**

je suis heureux ; c'est un plaisir ; j'espère que ; je ne suis pas content ; je suis triste ; je regrette que

Dans une entreprise

a. Je n'ai pas été très bon pour présenter mon projet. Je .... de ma présentation.

b. Toutes mes félicitations ! Je .... que tu aies eu le poste que tu souhaitais !

c. Tu as perdu ton gros client chinois. Tu ne méritais pas ça. Je .... pour toi.

d. Vous partez demain à Djakarta ! Dommage. Je .... vous ne puissiez pas participer à la réunion de jeudi.

e. Ah ! Vous êtes de retour ! Après votre accident, on s'est fait beaucoup de soucis. .... de vous revoir en pleine forme !

f. La réunion avec les Allemands s'est bien passée. J' .... qu'ils vont signer le contrat.

5. EXPRIMER DES SENTIMENTS. **Dites le contraire. Associez.**

a. Je suis satisfait du résultat.
b. Je suis désolé d'en arriver là.
c. Je suis contente de son travail.
d. Il trouve ça surprenant.
e. Il est triste de l'apprendre comme ça.
f. Je suis fière de sa réussite.

1. Je suis ravi !
2. Naturel
3. J'ai honte.
4. Je suis mécontente.
5. Je suis déçu.
6. Il est heureux.

6. **Trouvez l'expression verbale qui correspond au substantif.**

a. Regret → **Je regrette que** tu ne m'aies rien dit de son état de santé.

b. Peur → .... tu le prennes mal.

c. Déception → .... elle ne réponde jamais à mes courriels.

d. Bonheur → .... elle soit fidèle au rendez-vous.

e. Fierté → .... tu aies pu gagner contre lui.

f. Préférence → .... tu viennes quand elle sera là.

Une Française chez les Minangkabau

Anne travaillait dans une société d'assurances ; elle trouvait sa vie un peu terne. Un jour, elle s'est envolée pour l'Indonésie et elle n'en est jamais repartie.

C'était en 2010. Anne a 30 ans. Elle décide de changer de vie et part étudier en Indonésie. Là, elle rencontre Ricky, guide touristique sur les îles Mentawai, et tombe amoureuse. Ils se marient six mois plus tard dans la tradition minangkabau. Une tradition où la transmission de la propriété, des terres, du nom et des titres se fait par la mère, où tous les biens appartiennent à la femme. Anne et Ricky vivent dans un petit village de pêcheurs de 600 habitants accessible uniquement en 4x4, Nagari Sungai Pinang. Ici, les femmes gèrent les tâches quotidiennes dans les rizières ainsi que la pêche.

Ricky anime avec sa guitare les soirées de son écolodge, le Ricky's Beach House. Son équipe est composée uniquement de jeunes du village : 70 % des revenus sont reversés au village dont 30 % servent à payer les études des enfants. Ricky et Anne achètent sur place toute la nourriture qui sera servie au lodge afin de soutenir l'économie du village. Dans cette nouvelle vie, ce qui reste difficile pour Anne, c'est le fait de ne pas avoir d'amie à qui se confier. Mais ici la jeune femme se sent utile et, avec leur fille Alicia, c'est une mère heureuse qui tous les jours aident les autres. Un rêve devenu réalité.

Écrit

1. Lisez l'article et répondez aux questions.

a. Retrouvez les informations qui correspondent à ces chiffres et données.

30 : ....
2010 : ....
600 : ....
4x4 : ....
70 : ....
30 : ....

b. Regroupez les informations sur Ricky.
....
....

c. En quoi consiste la tradition minangkabau ?
....
....

COMPRÉHENSION DES ÉCRITS

Lisez l'article et répondez aux questions.

Des retrouvailles en famille !

On appelle ça des cousinades. Ce sont des retrouvailles en famille, mais une famille très élargie.

La généalogie a beaucoup fait pour les cousinades. Elle a permis de découvrir des racines communes à des familles qui ne portent pas le même nom ou au contraire d'établir l'ensemble d'une descendance qui porte le même nom.

Aujourd'hui, les cousinades sont ce moment festif qui rassemble des personnes qui ont souvent en commun un ou plusieurs ancêtres ou qui portent le même nom de famille. Ainsi, la plus grande cousinade du monde, homologuée par le livre *Guiness des records*, a réuni 5 000 « cousins » en Vendée !

Château ou salle des fêtes, il faut de la place pour organiser une cousinade. Le plus important, c'est l'arbre généalogique, qui permettra de figurer les liens entre les participants et à chacun de se situer, et c'est le badge qui permettra d'identifier à quelle branche chacun appartient. Et c'est l'occasion d'un repas festif autour de grandes tables où est reconstituée chaque branche de la famille.

Pour la suite, Facebook et les réseaux sociaux, un blog souvent, permettront de faire vivre la cousinade et de prolonger la rencontre.

a. Qu'est-ce qu'une cousinade ?

....

b. À quoi sert un arbre généalogique ?

....

c. Qu'est-ce qu'évoquent les « cousins » de Vendée ?

....

d. À quoi servent :
  1. l'arbre généalogique : ....
  2. le badge : ....

e. Comment prolonger une cousinade ?

....

COMPRÉHENSION DE L'ORAL

N° 60

Vous entendez ce message sur votre répondeur. Lisez les questions. Écoutez le document puis répondez aux questions.

	Répondeur 1	Répondeur 2	Répondeur 3
a. Qui appelle ?			
b. Quel est le problème ?			
c. Quelle est la solution proposée ?			
d. Coordonnées			

PRODUCTION ÉCRITE

Décrivez votre meilleur(e) ami(e) (physique, caractère). Vous racontez quelles activités vous faites ensemble et pourquoi vous vous sentez bien avec lui ou avec elle. (60 mots minimum)

....
....
....
....
....
....
....
....
....
....
....
....
....

PRODUCTION ORALE

Parlez de vos amis. Comment sont-ils ? Pourquoi est-ce que vous les aimez ? Quelles activités faites-vous ensemble ?